Jean-Paul Ameline
conservateur

Guide
des collections permanentes
du Musée national
d'art moderne

© éditions du Centre Georges Pompidou
et éditions Scala
Paris 1986
© ADAGP   Paris 1986
© SPADEM   Paris 1986

*Le Musée national d'art moderne est l'un des quatre départements du Centre Georges Pompidou avec la Bibliothèque publique d'information (B P I), le Centre de création industrielle (C C I) et l'Institut de recherche et coordination acoustique musique (I R C A M), mais il est, parmi eux, le seul dont l'existence précède la création du Centre. En **1947** sa fondation est due principalement aux efforts de Jean Cassou, son premier conservateur en chef, et de Georges Salles, directeur des Musées de France, pour que l'art moderne occupe toute sa place dans les collections nationales.*

1947 à 1977   *Les collections de l'ancien musée du Luxembourg (artistes vivants de l'école française) et du Jeu de Paume (écoles étrangères) sont installées ensemble au Palais de Tokyo (avenue du Président-Wilson à Paris) et s'enrichissent par toute une politique d'acquisitions (achats et donations) d'œuvres caractéristiques du XXe siècle.*

1967   *La création du Centre national d'art contemporain (C N A C) permet de regrouper documentation, achats, commandes aux artistes, et d'inaugurer une politique internationale d'expositions et d'acquisitions.*

1977   *Le Musée est transféré au Centre Georges Pompidou et doté d'un budget d'acquisition autonome lui permettant d'enrichir ses fonds et de rassembler aujourd'hui avec ses 15 000 œuvres, une des collections d'art moderne les plus importantes du monde.*

plan
index

4

4ᵉ étage sud

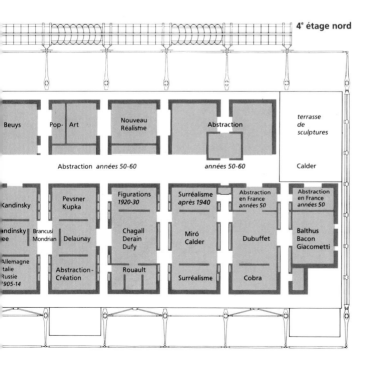

4ᵉ étage nord

Beuys
Pop-Art
Nouveau Réalisme
Abstraction
terrasse de sculptures

Abstraction années 50-60
années 50-60
Calder

Kandinsky
Pevsner Kupka
Figurations 1920-30
Surréalisme après 1940
Abstraction en France années 50
Abstraction en France années 50

andinsky ee
Brancusi Mondrian
Delaunay
Chagall Derain Dufy
Miró Calder
Dubuffet
Balthus Bacon Giacometti

Allemagne talie Russie 905-14
Abstraction-Création
Rouault
Surréalisme
Cobra

6

3ᵉ étage sud

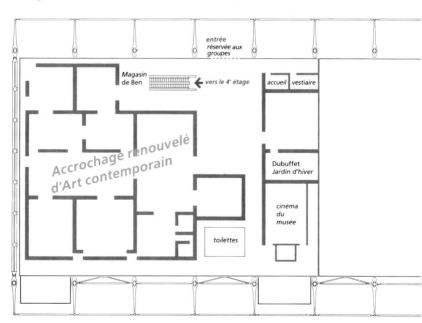

4e étage
sud

MATISSE BONNARD FAUVISME

1888-89 Pierre Bonnard forme avec Maurice Denis, Maillol, Ranson, Sérusier, Vallotton, Vuillard, etc., le groupe des *Nabis*.

1905 Au Salon d'Automne de Paris, le critique Louis Vauxcelles qualifie de « fauves » les toiles de Derain, Marquet, Matisse, Rouault, Van Dongen, Vlaminck, etc., exposées ensemble.

1906-12 Séjours répétés de Matisse en Afrique du Nord et découverte de l'art décoratif musulman.

1921 Installation de Matisse à Nice.

1925 Installation de Bonnard au Cannet, près de Cannes.

après **1943** Généralisation progressive, dans l'œuvre de Matisse, de la technique des gouaches découpées, notamment pour la conception du décor des vitraux de Vence.

4ᵉ étage sud

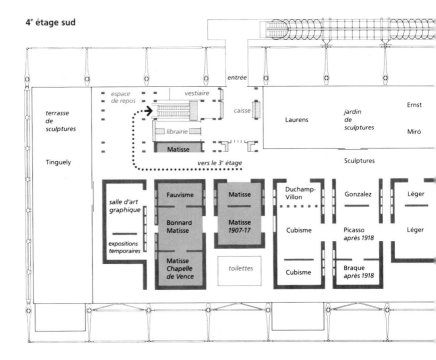

La Tristesse du Roi
1952

« Quand les moyens se sont tellement affinés, tellement amenuisés, que leur pouvoir d'expression s'épuise, il faut revenir aux principes essentiels qui ont formé le langage humain. Ce sont alors les principes qui « remontent », qui reprennent vie, qui nous donnent la vie. Les tableaux, qui sont des raffinements, des dégradations subtiles, des fondus sans énergie, appellent des beaux bleus, des beaux rouges, des beaux jaunes, des matières qui remuent le fond sensuel des hommes. C'est le point de départ du fauvisme : le courage de retrouver la pureté des moyens. »

Henri Matisse
extrait d'un entretien
avec E Tériade
in Minotaure, Paris
octobre 1936, n° 9

Au cours de ses dernières années (1951-54) Matisse se consacre à la technique des gouaches découpées. Celles-ci, d'abord utilisées pour mettre au point une composition murale aux Etats-Unis, *La Danse* (1932), puis pour réaliser les illustrations de *Jazz* (1947), lui permettent de résoudre d'une nouvelle manière le conflit dessin-couleur qui traverse toute son œuvre. Par le jeu des ciseaux, peindre, dessiner et sculpter sont devenues parties prenantes d'une même création. Ici, deux musiciens avec leurs instruments et une danseuse (suggérée par ses voiles blancs et ses pointes de pieds) se déploient sur fond de rectangles colorés, tandis que des flammèches dorées évoquent par leur envol aussi bien les mouvements de la danseuse que les éclats de la musique.

10

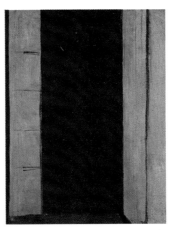

D'abord personnalité marquante du Fauvisme, Matisse élabore après 1907, sous l'influence de Gauguin, Cézanne et des arts décoratifs africains, une peinture dégagée des lois traditionnelles de la représentation. Utilisant les aplats de couleurs, l'arabesque[1] et la frontalité du sujet, son art devient peu à peu un univers de *« formes décantées à l'essentiel »* visant à procurer au spectateur, par leur équilibre et leur sensualité, *« le repos et le plaisir le plus pur de l'esprit comblé »* (Henri Matisse).

Par son propre développement, l'œuvre de Matisse connaît de 1908 à 1954 un approfondissement continu : après avoir frôlé cubisme et abstraction (*Porte-fenêtre à Collioure* 1914), Matisse aboutit vers 1920 à des conceptions plus décoratives de la peinture où la couleur — libérée de sa soumission au dessin et de tout rôle seulement descriptif — peut donner cours à toute sa puissance expressive (*Figure décorative sur fond ornemental* 1925).

Après 1930, il expérimente, aux Etats-Unis et en France, de grandes compositions murales dont l'une des plus ambitieuses est la décoration de la chapelle de Vence (1948-51). Parallèlement, ses activités de sculpteur (*Nus de dos* 1909-30) et d'illustrateur en font une référence pour l'ensemble de l'art du XXe siècle.

1 Arabesque : ligne courbe ornementale enveloppant les objets et constituant le rythme essentiel d'une composition peinte.

Figure décorative sur fond ornemental
1925-26
huile sur toile
130 × 98

Porte-fenêtre à Collioure
1914
huile sur toile
116 × 89

Le Luxe I
1907

Simplification décisive, cette grande toile associe trois figures monumentales aux formes brutalement esquissées à un paysage seulement suggéré à l'aide de couleurs chaudes et froides contrastées. La touche, nerveuse et mince, couvre la surface d'un *« coloriage plat de formes élémentaires »* délibérément inachevé. Le titre rappelle une œuvre à résonances baudelairiennes de sa période « pointilliste » : *Luxe, calme et volupté* de 1905 (Paris, Musée d'Orsay), mais, en contrastant avec l'austérité générale du tableau, il participe là d'un mystère sous-jacent propre à de nombreuses œuvres de Matisse.

Le Luxe I
1907
huile sur toile
210 × 138

Nu de dos, premier état
1909
bronze
190 × 116 × 13

Nu de dos, quatrième état
1930
bronze
190 × 114 × 16

12

Ici, les lignes obliques de la baie vitrée de l'atelier de l'artiste séparent deux mondes : au dehors, en couleurs froides, le jardin de la maison et la mosaïque des toits des hauteurs de Cannes ; au-dedans, l'ombre chaude et intime de l'atelier où les objets familiers et les traits esquissés d'un visage se fondent.

Nulle opposition, pourtant, entre les deux parties du tableau : soutenu par l'enchaînement serré des tons, l'œil parcourt librement la surface unie de la toile, que la lumière éblouissante du grand mimosa jaune semble irradier jusqu'à ses plus extrêmes limites.

Lié pendant ses années de formation au groupe des *Nabis* (Sérusier, Roussel, Vuillard, Maillol, etc.) pour qui un tableau est *« essentiellement une surface plane recouverte de couleurs en un certain ordre assemblées »* (Maurice Denis), Bonnard se fait connaître, autour de 1900, par ses affiches, ses illustrations de livres, ses panneaux peints, où l'on retrouve, à travers des cadrages inattendus, le style décoratif des estampes japonaises.

La rencontre de Monet (entre 1910 et 1916) puis l'installation sur la Côte d'Azur (vers 1925) oriente définitivement son travail : en *« traduisant lumière, formes et caractères rien qu'avec de la couleur »* Bonnard aboutit à un système pictural où les objets — comme dissous dans le papillotement des touches — semblent disparaître dans la constitution d'harmonies intensément colorées.

Longtemps considérée comme une simple continuation de l'impressionnisme en plein XX⁰ siècle, l'œuvre de Bonnard est aujourd'hui redécouverte à travers l'expérience spécifiquement picturale qu'elle représente (subjectivité, figuration, rôle de la couleur).

Portrait de l'artiste dans la glace du cabinet de toilette
1939-45
huile sur toile
73 × 51

L'atelier au mimosa
1939-46
huile sur toile
127 × 127

En 1905, au Salon d'Automne de Paris,
le critique d'art Louis Vauxcelles qualifie
pour la première fois de *« fauves »* — en raison
de la violence de leurs couleurs — les toiles
de Derain, Marquet, Matisse, Vlaminck, etc.,
exposées ensemble.

Leur but : dans la voie tracée par Gauguin,
Van Gogh et Signac, substituer à l'imitation
«illusionniste» de la nature l'expression du choc
émotif qu'elle suscite à l'aide *«d'équivalents
intensément colorés»* (Matisse) de la lumière
et de l'espace. Sont ainsi rejetées, dès 1900,
les lois habituelles du clair-obscur, le rendu
du modelé et le ton local[1] au profit des tons
purs, du contraste des couleurs et des touches
résumant les formes.

En 1906, Braque, Dufy, Friesz rejoignent
à leur tour les fauves tandis qu'en Allemagne,
le groupe «expressionniste» *Die Brücke*[2]
établit des relations avec eux. Mais, après 1907,
le mouvement se désagrège et, chez Matisse,
Derain ou Braque, par exemple, les soucis
de rigueur et de construction l'emportent.
Chacun, dès lors, suivra son propre chemin.

[1] Ton local : ton d'un objet
vu dans la lumière du jour
indépendamment des ombres
ou des reflets environnants.

[2] Voir *Avant-gardes en Europe*
1905-14 page 29

Georges Braque
L'Estaque
1906
huile sur toile
50 × 60

André Derain
Les deux péniches
1906
huile sur toile
80 × 97

Raoul Dufy
Les affiches à Trouville
1906
huile sur toile
65 × 81

CUBISME

septembre **1907** Picasso peint *Les Demoiselles d'Avignon* (New York, Musée d'Art Moderne) où, pour la première fois, sont posées les bases du cubisme.

novembre **1907** Rétrospective Cézanne à Paris.

novembre **1908** Première exposition Braque, Galerie Kahnweiler à Paris. Le critique Louis Vauxcelles remarque : *« il réduit tout [...] à des cubes »* et baptise ainsi le mouvement.

mars et novembre **1911** Léger, Delaunay, Gleizes et Metzinger présentent ensemble des œuvres « cubistes » au Salon des Indépendants et au Salon d'Automne de Paris.

mai-septembre **1912** Picasso et Braque réalisent leurs premiers *collages* et *papiers collés*.

octobre **1912** Apogée du mouvement cubiste à l'exposition *La Section d'Or* à Paris (œuvres de Delaunay, Duchamp, Duchamp-Villon, Gleizes, Gris, La Fresnaye, Léger, Metzinger, Picabia, Villon, etc.).

1914-1919 Dispersion progressive du mouvement cubiste.

4ᵉ étage sud

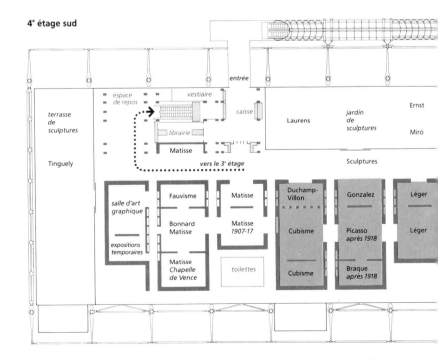

Le cheval majeur
1914-66

Bouteille et verre
La bouteille de Beaune
1917

D'un cheval qui saute, Duchamp-Villon a fait un symbole d'énergie pure, synthèse de vigueur organique et de puissance mécanique : membres devenus engrenages, tête, crinière et encolure prolongeant dans un grand fuseau convexe la plongée de tout le corps, force du saut traduite par un « jeu de bielles » reliant l'avant à l'arrière de la sculpture où c'est toute la machinerie de l'effort lui-même qui semble se dévoiler. Réalisée en 1914 à petite échelle, l'œuvre sera, cinquante ans après la mort de l'artiste, fondue à plusieurs exemplaires et, selon ses vœux, en grandes dimensions par ses deux frères, Jacques Villon et Marcel Duchamp.

D'esprit cubiste, cette construction du sculpteur Laurens, ami de Braque dès 1911, l'est de multiples façons : par les matériaux de récupération qu'elle utilise d'abord (tôle, contreplaqué, bois) ; par la multiplicité des points de vue qu'elle offre ensuite (bouchon de la bouteille évoqué du dessus par la rondelle de bois, profil représenté en creux comme vu de l'intérieur, niveau du liquide indiqué de biais) ; enfin, par la disposition des plans coloriés de part et d'autre du cylindre, et qui permet de suggérer dynamiquement tout l'espace alentour.

Raymond Duchamp-Villon
Le cheval majeur
1914-66
bronze
fonte de 1976
150 × 97 × 153

Henri Laurens
Bouteille et verre
La bouteille de Beaune
1917
bois et tôle polychromés
67 × 27 × 24

Né de l'écho suscité par les découvertes de Picasso et Braque auprès des milieux artistiques et littéraires parisiens, et répondant aux préoccupations de la génération artistique issue du cézannisme, la révolution cubiste, de 1907 à 1919, constitue le bouleversement artistique le plus radical du début du XXᵉ siècle.

En peignant les choses *« comme on les pense, pas comme on les voit »* (Picasso), le cubisme rend, dans la représentation de la réalité, le premier rôle à la conception aux dépens de l'imitation. Ainsi l'œuvre d'art devient un *« fait pictural »* (Braque), *« un organisme portant en soi sa raison d'être »* (Gleizes).

Parallèlement, avec notamment Duchamp-Villon, Lipchitz, Laurens, la sculpture moderne est profondément transformée par l'influence cubiste. Tout en expérimentant couleurs et nouveaux matériaux, elle abandonne elle aussi les apparences de la vision pour la reconstruction architecturale du rythme des formes (structuration par plans, intégration de l'espace).

Juan Gris
Le petit déjeuner
1915
fusain et huile sur toile
92 × 73

Francis Picabia
Udnie
1913
huile sur toile
290 × 300

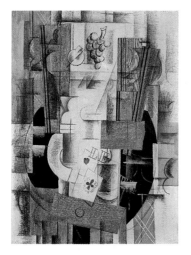

En introduisant, sous l'influence de Cézanne (reconstruction des volumes à l'aide de plans colorés imbriqués) et des arts primitifs (géométrisation de la figure humaine), une nouvelle manière de représenter les formes dans l'espace, Picasso et Braque rompent — entre 1907 et 1914 — avec tout le système perspectif de la Renaissance. Progressivement, à partir de 1907, le point de vue unique sur les objets (hérités des lois de la perspective linéaire) est abandonné : ceux-ci sont fragmentés en facettes correspondant à différents axes de vision (Picasso *Femme assise* 1910) et s'insèrent dans un espace lui-même « *matérialisé* » (selon Braque) au moyen d'un camaïeu[1] de plans anguleux qui remplace le clair-obscur habituel de la peinture. Cette « *pleine possession des choses* » (Braque) aboutissant paradoxalement, vers 1910, à un véritable éclatement formel, des « signes » allusifs (lettres en aplats, notes de musique, clous en trompe-l'œil, etc.) insérés dans la toile en facilitent la lecture. Après 1912, les attributs essentiels des objets étant retenus pour des compositions rendues ainsi plus lisibles et plus décoratives (Braque *Compotier et cartes* 1913), on passe — selon les termes consacrés — d'un cubisme « *analytique* » à un cubisme « *synthétique* », prélude à une évolution plus personnelle de chacun des deux artistes mais où les acquis du cubisme seront toujours sauvegardés.

1 Camaïeu : peinture d'une seule couleur, dont le jeu des tons, du clair au foncé, donne l'impression de relief.

Georges Braque
Compotier et cartes
1913
huile, gouache et fusain sur toile
80 × 59

Pablo Picasso
Etude d'une des Demoiselles d'Avignon
1907
huile sur toile
66 × 59

Femme assise
1910

18

L'Image est une création
pure de l'esprit.
Elle ne peut naître d'une
comparaison mais du rappro-
chement de deux réalités plus
ou moins éloignées.
Plus les rapports des deux
réalités rapprochées seront
lointains et justes, plus l'image
sera forte — plus elle aura
de puissance émotive et de
réalité poétique.
Deux réalités qui n'ont
aucun rapport ne peuvent
se rapprocher utilement.
Il n'y a pas création d'image.
Deux réalités contraires ne
se rapprochent pas. Elles
s'opposent.
On obtient rarement une
force de cette opposition.
Une image n'est pas forte
parce qu'elle est brutale ou
fantastique — mais parce
que l'association des idées
est lointaine et juste.
Le résultat obtenu contrôle
immédiatement la justesse
de l'association. (...)

Pierre Reverdy
L'Image
in Nord-Sud, Paris
mars 1918, n° 13

D'un camaïeu de gris et de bruns émerge
une figure assise à laquelle seuls l'ovale du visage
et l'arrondi des épaules servent de points de
reconnaissance.

En revanche, un jeu très complexe de facettes
claires et sombres indique les volumes de la tête et
du torse ; il permet de saisir tout à la fois l'origine
de la source lumineuse et la position du corps sur
le fauteuil (au côté droit avancé et éclairé s'oppose
le côté gauche en retrait dans l'obscurité).
L'énergie plastique qui se dégage de la torsion
du buste transforme ainsi le modèle en une sorte
d'« écorché vif » obéissant davantage aux lois
de ses rythmes formels qu'aux principes codifiés
de l'anatomie.

Femme assise
1910
huile sur toile
100 × 73

En mai 1912, Picasso, en plaçant dans sa *Nature morte à la chaise cannée* (Paris Musée Picasso) un morceau de toile cirée imitant le cannage d'une chaise, réalise le premier *collage* sur une toile d'un matériau étranger à la peinture. Quelques mois plus tard, Braque fabrique son premier *papier collé* en fixant directement un morceau de papier peint en faux bois dans un dessin au fusain afin d'évoquer une table sur laquelle reposent des objets.

A travers ces nouveaux moyens, la réalité se trouve ainsi tantôt suggérée par un jeu d'analogies figuratives (et souvent humoristiques), tantôt placée telle quelle sur la toile au lieu d'être représentée. En même temps, par leurs qualités intrinsèques et leurs couleurs, ces matériaux permettent de marquer les plans, donc la profondeur, et de sortir du camaïeu cubiste sans avoir à utiliser la peinture elle-même. Bricolages féconds, ces papiers collés, collages et autres *assemblages* dépassent donc par leur nouveauté aussi bien l'opposition traditionnelle peinture-sculpture que les habitudes de représentation propres à l'histoire de l'art.

« *Picasso s'essaye d'abord sur ce qui se trouve à portée de sa main. Un journal, un verre, une bouteille d'anis del Mono, une toile cirée, un papier à fleurs, une pipe, un paquet de tabac, une carte à jouer, une guitare, la couverture d'une romance : Ma paloma.*

Lui et Georges Braque, son compagnon de miracle, débauchent d'humbles objets. S'éloignent-ils de l'atelier ? On retrouve sur la butte Montmartre les modèles qui furent l'origine de leurs harmonies : cravates toutes faites chez des mercières, faux marbres et faux bois des zincs, réclames d'absinthe et de Bass, suie et papiers des immeubles en démolition, craie des marelles, enseignes des bureaux de tabac où sont naïvement peintes deux pipes Gambier, retenues par un ruban bleu de ciel. D'abord, les tableaux, souvent ovales, sont des camaïeux beiges d'une grâce abstraite. Après, les toiles s'humanisent et les natures mortes commencent à vivre de cette étrange vie qui n'est autre que la vie même du peintre. Les raisins de l'art ne pipent plus les oiseaux. L'esprit seul reconnaît l'esprit. Le trompe-l'esprit existe. Le trompe-l'œil est mort. »

Jean Cocteau
Picasso
Paris 1923

Pablo Picasso
Tête d'homme au chapeau
1912-1913
fusain, papier collé et sable sur papier
65 × 49

Georges Braque
Nature morte sur une table (Gillette)
1914
fusain, papiers collés et gouache sur papier
48 × 62

20

Issu d'une famille d'orfèvres de Barcelone, Julio Gonzalez, formé à la soudure autogène aux usines Renault, commence à pratiquer la sculpture en fer vers 1927 en réalisant masques, figurines et natures mortes à l'aide de feuilles de fer découpées.

En 1928, la rencontre avec Picasso est décisive ; les constructions en fer que celui-ci entreprend avec son aide technique décident Gonzalez à franchir un pas supplémentaire : à partir de 1930-1931, il utilise le principe de l'assemblage de tiges de fer pour intégrer l'espace à sa sculpture. Son but : « *Projeter et dessiner dans l'espace à l'aide de moyens nouveaux, profiter de cet espace et construire avec lui, comme s'il s'agissait d'un matériau nouvellement acquis.* »

Lié aux surréalistes comme aux premiers mouvements abstraits, Gonzalez réalise de 1930 à 1937 des œuvres où sa virtuosité lui permet d'associer abstraction et évocations naturalistes.

Femme à la corbeille
vers 1930-33
fer
194 × 63 × 63

Julio Gonzalez
Petite danseuse
1934-37
fer
17,5 × 10 × 4 cm

Figure
vers 1927

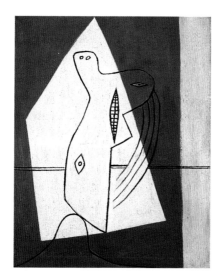

« *Pour mon malheur et pour ma joie peut-être, je place les choses selon mes amours. Quel triste sort pour un peintre qui aime les blondes, mais qui s'interdit de les mettre dans son tableau, parce qu'elles ne s'accordent pas avec les corbeilles de fruits ! »* (...)

« *Chez moi, un tableau est une somme de destructions. Je fais un tableau, ensuite je le détruis. Mais, à la fin du compte, rien n'est perdu ; le rouge que j'ai enlevé d'une part se trouve quelque part ailleurs. »* (...)

« *Je me comporte avec ma peinture comme je me comporte avec les choses. Je fais une fenêtre, comme je regarde à travers une fenêtre. Si cette fenêtre ouverte ne fait pas bien dans mon tableau, je tire un rideau et je la ferme comme j'aurais fait dans ma chambre. Il faut agir avec la peinture, comme dans la vie, directement. »* (...)

Christian Zervos
Conversation avec Picasso
in Cahiers d'Art, Paris
1935, n°s 7-10

Quatre cheveux en baguettes de tambour, un nez comme un groin, une bouche-entaille redressée à la verticale, deux yeux vides brutalement stylisés et décalés : depuis 1925 Picasso, fort de ses relations avec les surréalistes, donne libre cours à sa fantaisie iconoclaste. Mais ce profil de cauchemar, plus « biomorphique » qu'humain est en même temps une sculpturale mise en formes : sans modelé ni couleurs il est en effet tout entier enfermé dans un trait noir appuyé qui pourrait tout aussi bien être réalisé avec un fil de métal. Il ouvre ainsi une voie nouvelle, explorée à partir de 1928 en commun avec le sculpteur Julio Gonzalez : la sculpture en fer à formes ouvertes.

Figure
vers 1927
huile sur toile
100 × 82

22

1917-25
Cubisme dit « curvilinéaire »
et figuration « classique ».

1925-31
Relations suivies avec les surréalistes.

1931-34
Travail privilégié sur la sculpture
à Boisgeloup (Eure).

1934-39
Tensions dans la vie privée.
Guerre d'Espagne : Picasso peint *Guernica*
(Madrid, Prado).

1939-44
Séjour à Paris durant l'occupation.

1944-73
Installation sur la Côte d'Azur.
Travaux de sculpture et de céramique,
puis retour à la peinture à partir de
Delacroix, Velasquez, Manet, David.
Portraits monumentaux.

Femme en gris dite « La Liseuse »
1920
huile sur toile
166 × 102

L'Aubade
1942
huile sur toile
195 × 265

« Qu'il y ait un secret chez Braque — comme
il y en a un dans Van Gogh ou Vermeer — c'est ce
dont ne laisse pas douter une œuvre à tout instant
étrangement pleine et suffisante : fluide (sans qu'il
soit besoin d'air) ; rayonnante (sans la moindre
source de lumière) ; dramatique (sans prétexte) ;
à la fois attentive et quiète : réfléchie jusqu'à donner
le sentiment d'un mirage posé sur la réalité.
　　Pourtant sitôt que je veux nommer ce secret,
ou le sentiment du moins qu'il me laisse, voici tout
ce que je trouve : c'est que Braque propose aux
citrons, aux poissons grillés et aux nappes, inlassa-
blement ce qu'ils attendaient d'être. Ce après
quoi ils soupiraient : leur spectre familier. »

Jean Paulhan
Braque le Patron
Genève-Paris
1948

L'Oiseau et son nid
1955
huile et sable sur toile
130 × 173

Fruits sur une nappe et compotier
1925
huile sur toile
130 × 75

24

Associé de 1909 à 1914 au mouvement cubiste, Léger fonde ses premières recherches sur ce qu'il appelle *« la loi des contrastes »*. Opposant surfaces planes colorées et volumes modelés en gris, fragments anguleux et courbes, il crée des rythmes puissants de formes enchaînées les unes aux autres et qui finissent par abandonner toute figuration (*Contraste de formes* 1913).

Au cours de la première guerre mondiale, *«ébloui par une culasse de 75 ouverte en plein soleil»*, il s'oriente vers la représentation de la vie moderne, de ses machines, de ses paysages bouleversés par les affiches et les pylônes, de ses humains débarrassés de toute sentimentalité (*La lecture* 1924). Figures et objets géométrisés se retrouvent alors dans l'espace de ses toiles en contrastes de formes, de modelés, de couleurs. A partir de 1920, la rencontre avec les architectes Le Corbusier et Mallet-Stevens ouvre à Léger la voie d'une peinture monumentale, intégrée à l'architecture et d'une portée sociale nouvelle. Avec ses plongeurs, ses saltimbanques, ses cyclistes, organisés en figures gigantesques et confrontés aux grands aplats de couleurs, Léger atteint alors ce qu'il cherchait : *« Le plus grand dynamisme possible : la couleur libre et la forme libre. »*

Contraste de formes
1913
huile sur toile
100 × 81

La lecture
1924
huile sur toile
113 × 146

4e étage
nord

ABSTRACTIONS 1910-35

Munich **1910**	Kandinsky, première aquarelle abstraite.
Paris **1912**	Kupka présente deux peintures non-figuratives au Salon d'Automne.
Paris **1912-13**	Delaunay, *Fenêtres* et *Formes circulaires*.
Russie **1913**	Malevitch, *Carré noir sur fond blanc*.
Hollande **1913-14**	Mondrian, premières compositions abstraites.
Suisse **1915**	Hans Arp, premiers papiers collés abstraits.
Florence **1915**	Magnelli, premières peintures abstraites.
Allemagne **1919**	Fondation du *Bauhaus* à Weimar (avec Kandinsky, Klee, Moholy-Nagy, etc.).
Russie **1920-27**	Mouvement *constructiviste* (Gabo, Pevsner, El Lissitsky, Rodchenko, Tatlin, etc.).
Paris **1931**	Fondation du groupe *Abstraction-Création* réunissant jusqu'à 400 artistes de tous pays (dont Arp, Delaunay, Gabo, Herbin, Kupka, Pevsner, Sophie Taeuber-Arp, van Doesburg, Vantongerloo).

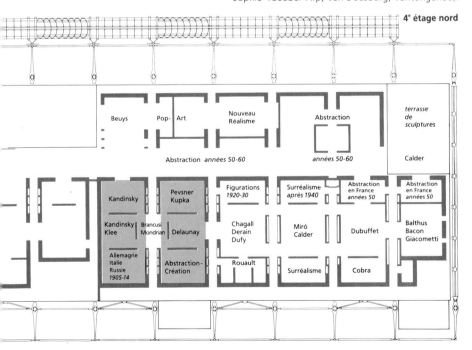

4ᵉ étage nord

Kandinsky — qui doit peut-être à ses origines russes son goût pour le pouvoir expressif des couleurs et la puissance évocatrice de la musique — accomplit le premier, à Munich, entre 1908 et 1911, le saut décisif vers l'abstraction en transfigurant en expressions impétueuses, de plus en plus dégagées de toute référence à la réalité, le bouleversement émotif qu'il ressent devant les paysages de Haute-Bavière.

De 1911 à 1914, *Impressions, Improvisations* et *Compositions* (autant de titres choisis pour leur connotation musicale) se succèdent : aux formes devenues *« êtres spirituels »* et aux couleurs douées d'un véritable *« son intérieur »* appartient désormais le pouvoir de traduire, à travers la *« vibration juste »*, le mystère du monde.

Après un provisoire retour en Russie (1917-1922), Kandinsky, invité comme professeur au Bauhaus (1922-1933), élabore une *« grammaire des formes »* à laquelle la couleur apporte comme une palpitation intérieure.

Pendant l'exil à Paris (1933-1944), —suite à la fermeture du Bauhaus par les nazis — le déploiement, dans ses dernières œuvres, de formes vibrillonnaires et de figures zoomorphes méticuleusement cernées le conduit à réconcilier, sous la dénomination d'*« Art Concret »*, réalité et abstraction. *« Il conjurait des forces originelles, impérissables, dit Jean Arp, et les forçait d'affluer dans sa peinture et dans sa poésie. Ces forces dissolvaient dans son œuvre le fond irréel de la réalité. Seul un tressaillement du monde palpable y subsiste. »*

Sur blanc II
1923
huile sur toile
105 × 98

Vassily Kandinsky
sans titre
1910
mine de plomb, aquarelle
et encre de Chine sur papier
49 × 64

Grâce aux donations
(1966, 1976) et au legs (1980)
de Mme Nina Kandinsky,
le Musée est devenu l'un
des musées les plus importants
au monde pour la connaissance
du maître.

« Tous les chemins se rencontrent dans l'œil,
en un point de jonction d'où ils se convertissent
en Forme pour aboutir à la synthèse du regard
extérieur et de la vision intérieure. En ce point
de jonction s'enracinent des formes façonnées par
la main qui s'écartent entièrement de l'aspect
physique de l'objet et qui pourtant — du point
de vue de la Totalité — ne le contredisent pas. »

Paul Klee
Voies diverses dans l'étude de la nature
1923
in *Théorie de l'art moderne*
édition et traduction PH Gonthier
Genève 1968

Paul Klee
· *Rythmisches*
En rythme
1930
huile sur toile
69 × 50

Vassily Kandinsky
Avec l'arc noir
1912
huile sur toile
188 × 198

C'est dans un projet général de libération du pouvoir créateur de l'Homme vis-à-vis des servitudes et conventions de la société bourgeoise que les avant-gardes européennes des années 1905-14 donnent à la peinture une mission révolutionnaire : celle d'exprimer aussi bien l'intensité émotionnelle du vécu que le dynamisme tourbillonnant du monde. Cette volonté de régénération totale de l'Art, appuyée sur l'exemple de Gauguin et Van Gogh, mais aussi sur la découverte de la puissance expressive des arts primitifs ou populaires et sur les acquis esthétiques du fauvisme et du cubisme explique l'effervescence créatrice qui s'empare des arts allemand, italien et russe à la veille de la première guerre mondiale. Ainsi, tandis que les « expressionnistes » allemands du groupe *Die Brücke* (Kirchner, Schmidt-Rottluff, Heckel, Nolde, Pechstein) traduisent la violence de leurs sentiments par l'exacerbation des dissonances plastiques, c'est au contraire, l'harmonie « spirituelle » des formes et des couleurs que cherchent les membres du *Blaue Reiter* de Munich[2] (Kandinsky, Klee, Jawlensky, F Marc, etc.). Dans une autre direction, c'est à la représentation de la simultanéité des sensations visuelles de la vie moderne que s'attachent *Futuristes* italiens[3] (Balla, Boccioni, Russolo, Severini, etc.) et *Cubo-Futuristes* russes (Pougny, Larionov, Gontcharova, etc.).
Par la fragmentation de l'espace et des objets comme par l'imbrication des figures et des fonds, leurs œuvres deviennent des réseaux de « lignes-forces dynamiques » qui finissent par côtoyer l'abstraction (tel le *Rayonnisme* de Larionov).

[1] *Le Pont* fondé en 1905 à Dresde, dissous en 1913 à Berlin.

[2] *Le Cavalier bleu* (1911-13).

[3] Le premier *Manifeste du Futurisme* fut publié en 1909 à Paris par l'écrivain Marinetti.

Michel Larionov
Promenade. Vénus de boulevard
vers 1912-13
116 × 86

Ernst-Ludwig Kirchner
Toilette (Frau vor dem Spiegel)
La toilette - Femme au miroir
1913-20
huile sur toile
100 × 75

Alberto Magnelli
Explosion lyrique n° 8, Florence, 1918
1918
huile sur toile
101 × 76

30

Fils de paysans roumains, bricoleur prodige, autodidacte, Brancusi s'établit à Paris en 1904.

A partir de 1908, procédant par suppression progressive des détails sur ses sculptures, il les dépouille jusqu'aux volumes essentiels : l'œuf, le cylindre, le cube, dont les surfaces, polies jusqu'à la perfection ou au contraire laissées brutes, permettent aux matériaux d'exprimer leurs qualités intrinsèques. En effet, pour Brancusi, *« ce n'est pas la forme extérieure qui est réelle, mais l'essence des choses »*. Ainsi, vers 1920, pour exprimer l'énergie vitale de la nature, aboutit-il à l'abstraction par des formes épurées, débarrassées des derniers *« échantillons de la réalité »* et de plus en plus monumentales (telle la *Colonne sans fin*, de 30 m de haut, édifiée à Tirgu-Jiu, en Roumanie, en 1937).

Célébré par toute l'avant-garde internationale, Brancusi gardera pourtant jusqu'à ses derniers jours, la simplicité d'un artisan retiré dans un atelier entièrement aménagé de ses mains, à Montparnasse, et légué tel quel à l'Etat français en 1956[1].

1 Celui-ci est réinstallé aujourd'hui face au Centre Georges Pompidou, sur la piazza Beaubourg.
Voir page 70

Le Coq
1935
bronze poli
103 × 21 × 11
avec socle (bois et pierre)
151 × 47 × 39

La Muse endormie
1910
bronze
16 × 18,5 × 27

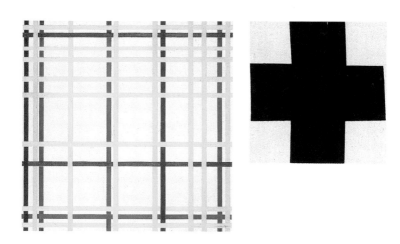

Partant des investigations issues
de l'impressionnisme, du symbolisme et du
cubisme, l'Abstraction est d'abord le résultat
d'une réflexion radicale sur la faculté pour
la peinture moderne de libérer la Couleur
et la Forme des contradictions inhérentes
à la représentation du monde des objets. En
conséquence, couleurs et formes deviennent,
par elles-mêmes, le moyen ultime de la
peinture pour :
— définir, au-delà de l'accidentel, *« la plus pure
représentation de l'Universalité »* (Mondrian)
— assurer, sur les choses, le règne de l'esprit,
le Beau devenant *« l'expression de la Nécessité
Intérieure de l'Ame »* (Kandinsky).
Dans cette première phase (1910-15),
tandis que Kandinsky entreprend, dans ses
compositions, de traduire la vérité cachée des
couleurs et des formes, pour Mondrian c'est
l'ordre vertical-horizontal et les trois couleurs
primaires (bleu, jaune, rouge), pour Malevitch
le *« degré zéro des formes »* (*Carré noir sur
fond blanc* 1913) qui marquent la rupture
définitive avec toute idée d'imitation de la
nature.

Piet Mondrian
New York City I
1942
huile sur toile
119 × 114

Kasimir Malevitch
Croix noire
1915
huile sur toile
80 × 79,5

32

«(...) Nous nions le volume comme expression spatiale. L'espace peut autant être mesuré par un volume qu'un liquide pourrait l'être par un mètre linéaire. Que pourrait être l'espace sinon une profondeur impénétrable? La profondeur est l'unique forme d'expression de l'espace. (...) Nous nous libérons des erreurs millénaires des Egyptiens qui prétendirent que l'art ne pouvait être qu'une rythmique statique. Nous annonçons que les éléments de l'art ont leur base dans le rythme dynamique.»

Gabo, Pevsner
Manifeste constructiviste
1920
traduction française
in Abstraction-Création,
Art Non Figuratif
Paris 1932, n° 1

A partir de 1915, une nouvelle période commence pour l'Abstraction, marquée par la volonté des artistes de fonder une «Renaissance» moderne.

En Hollande, la revue *De Stijl* (1917-28) réunit, sous l'inspiration de Mondrian, peintres et architectes (Van Doesburg, Vantongerloo, Rietveld, etc.) pour jeter les bases d'une esthétique commune: le *Néo-Plasticisme*.

En Russie, alors que Pevsner et Gabo souhaitent l'affirmation en peinture et en sculpture d'une *«rythmique dynamique»* pure, les partisans d'un *Constructivisme* *«productiviste»* (Tatlin, Rodchenko, El Lissitsky) choisissent au contraire de mettre l'art au service de la fabrication d'objets utiles à tous.

En Allemagne enfin, l'institut d'art du *Bauhaus* (1919-1933) avec Kandinsky, Klee, Moholy-Nagy, etc. réunit arts et techniques dans l'élaboration d'œuvres collectives (associant architecture, mobilier, illustration, théâtre et arts plastiques) prémices d'un art neuf intégré au monde moderne.

Ephémère floraison: après 1933, la victoire du nazisme et du stalinisme en Allemagne et en Russie, en obligeant de nombreux artistes à émigrer, contribuera à faire de Paris l'ultime capitale de l'Abstraction en Europe. Fondé en 1931, le groupe *Abstraction-Création* y réunira jusqu'à 400 artistes de tous pays (dont Arp, Delaunay, Herbin, Kupka, Sophie Taeuber-Arp, van Doesburg, Vantongerloo).

Gerrit Rietveld
Fauteuil
1917
bois peint
87 × 66 × 82

Antoine Pevsner
Masque
1923
celluloïd et métal
33 × 20 × 20

Jean Arp
Tête-paysage
1924-26
bois peint à l'huile
58 × 40 × 4,5

Une fenêtre
1912-13

Pour la première fois, Delaunay, à travers la
série des *Fenêtres*, fait de la lumière le sujet même
de ses œuvres.

Ici, l'élément figuratif est réduit à quelques
indications minimales : la silhouette de la Tour
Eiffel (les croisillons verts en haut au milieu),
le mouvement des rideaux (évoqué par les courbes
bleues et jaunes de part et d'autre du centre de
la toile), la façade d'un immeuble proche (en bas,
au milieu) ; mais l'essentiel est la volonté de traduire
l'irruption de la lumière à travers les vitres par
l'éventail de toutes les couleurs du prisme en plans
imbriqués les uns dans les autres. Il en résulte une
sensation kaléidoscopique qui semble pulvériser
l'espace traditionnel du tableau.

Une fenêtre	*Rythme sans fin*
1912-13	1934
huile sur toile	huile sur toile
111 × 90	207 × 52

points de repères

FIGURATIONS 1920-30

1905-13 Installation de Pascin, Modigliani, Chagall, Kisling, Soutine, Foujita à Montparnasse.

1911-17 André Derain rompt progressivement avec le Fauvisme et le Cubisme pour chercher l'inspiration auprès des pratiques picturales des « vieux maîtres ».

1916 A Florence, l'ancien futuriste Carlo Carra cite en exemple dans la revue *La Voce* la perfection formelle des primitifs italiens (Giotto, Uccello).

1922 Fondation, à Milan, du mouvement *Novecento* (Sironi, etc.) prônant le retour aux traditions artistiques nationales de l'Italie.

1925 Exposition de la *Neue Sachlichkeit* (« Nouvelle Objectivité ») allemande à Mannheim (Beckmann, Dix, Grosz) dont l'orientation « réaliste » s'oppose délibérément aux tendances « expressionnistes » allemandes d'avant 1914.

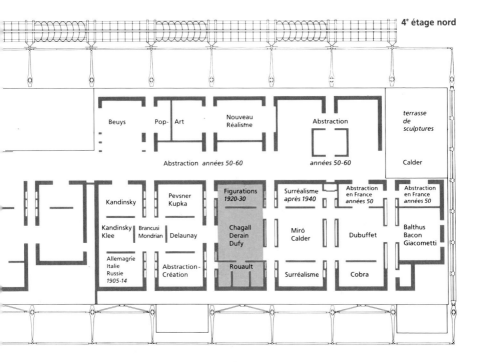

4ᵉ étage nord

Fréquenté par les artistes à la recherche de vastes ateliers, puis par les écrivains et les amateurs d'art, Montparnasse devient, de 1910 à 1930, le rendez-vous de nombreux peintres allemands, japonais (Foujita), italiens (Modigliani), mais surtout d'Europe orientale (Kisling, Pascin, Soutine, Chagall) qu'attire à Paris la réputation de liberté qui y règne.

Consacrés par l'histoire de l'art sous le nom collectif d'*Ecole de Paris,* ils se caractérisent pourtant par un individualisme profond (qui les conduit à rechercher des styles très personnels, véritables «marques de fabrique») et le goût d'une peinture émotive fondée sur l'expression directe de leurs sensibilités.

Ainsi, au graphisme sec de Foujita ou de Kisling (tempéré par l'utilisation de matières très lisses) peut-on opposer l'arabesque douce de Modigliani ; de même tout sépare les esquisses fluides et distanciées de Pascin et les empoignades de Soutine avec une couleur triturée en pleine pâte, qui annoncent les gestes véhéments des divers «expressionnismes» d'après-guerre.

Chaïm Soutine
Le groom
1928
huile sur toile
98 × 80

Amedeo Modigliani
Tête rouge
1915
huile sur carton
54 × 42

36

« Participant à cette unique révolution technique de l'art en France, je retournai en pensée dans mon âme pour ainsi dire, dans mon propre pays. Je vécus en tournant le dos à ce qui se trouvait devant moi. »

« Tout notre monde intérieur est réalité, peut-être encore plus réel que le monde apparent. Appeler chaque chose qui paraît illogique fantaisie ou conte de fée, c'est admettre que l'on ne comprend pas la nature. »

« En moi fleurissent des jardins
Mes fleurs sont inventées.
Les unes m'appartiennent,
Mais il n'y a pas de maisons,
Elles ont été détruites dès l'enfance,
Les habitants vagabondent dans l'air
A la recherche d'un logis.
Ils habitent dans mon âme. »

Citations extraites de Marc Chagall
Ma Vie
Paris 1931

1887
Naissance de Chagall à Vitebsk, dans un milieu juif imprégné de traditions religieuses.

1910-13
Premier séjour à Paris.
Amitié avec Cendrars et Apollinaire.
Découverte du cubisme.
A partir de 1911, découpage arbitraire des figures placées en apesanteur.

1914-22
Retour à Vitebsk.
Pendant la révolution russe, Chagall est commissaire des Beaux-Arts de Vitebsk puis peintre des décors du théâtre juif de Moscou.

1922-41
Réinstallation en France.
En dépit de ses affinités avec eux, refuse de se joindre aux surréalistes.
Nombreuses illustrations de livres pour l'éditeur Vollard.

1941-46
Emigration aux Etats-Unis.

1947-85
Installation définitive à Vence et Saint-Paul, près de Nice.
Nombreuses décorations murales en France, Israël, Etats-Unis, etc., notamment pour les vitraux des cathédrales de Metz et de Reims, le plafond de l'Opéra de Paris et la suite de peintures du *Message biblique* de Nice.

Marc Chagall
Double portrait au verre de vin
1917-18
huile sur toile
235 × 137

37

Née sous le signe du renouveau catholique des premières années du XXᵉ siècle, l'œuvre de Rouault se distingue dans l'art moderne par son souci de donner au message chrétien une force d'expression nouvelle. En effet, si, dans ses premières œuvres, — réalisées souvent à l'aquarelle et à la gouache (1903-14) — il a pu être rapproché des fauves par la vivacité de la touche et la recherche de la puissance expressive, les représentations qu'il donne d'une humanité déchue ou pathétique (prostituées, saltimbanques) témoignent surtout de l'horreur fascinée et de l'angoisse morale que lui inspire *« l'enfer humain »*, auquel la grande suite des gravures du *Miserere* (1914-1927) ajoute comme une majesté désolée.

Après 1928, le choix de thèmes évangéliques oriente sa peinture vers l'élaboration d'images sacrées plus apaisées qui évoquent, par l'austérité somptueuse de leur construction (symétrie, frontalité) et par le chromatisme de leurs matières colorées en épaisseur, l'intensité visuelle des vitraux du Moyen Age.

Artisan inlassable, Rouault ne pouvait se résoudre à considérer comme achevées nombre de ses peintures. Neuf cents d'entre elles, où transparaît la spontanéité de son travail, ont été données en 1963 par sa famille au Musée national d'art moderne.

La Sainte Face
1933
huile sur toile
91 × 65

L'apprenti ouvrier
vers 1925
huile sur toile
67 × 52

38

Alors que les années 1905-14 avaient été marquées par l'affirmation des avant-gardes fondatrices de l'art moderne, le choc de la première guerre mondiale et les bouleversements sociaux et intellectuels qui s'ensuivent conduisent, vers 1920-1930, de nombreux artistes à contester à celles-ci leurs partis pris esthétiques tournés vers le moi créateur et la rupture formelle et à revendiquer à nouveau pour la peinture le droit de se confronter à la tradition et à la réalité extérieure, aussi perturbantes soient-elles.

Ainsi, la volonté de «*scruter le visible*» (Max Beckmann), même dans sa banalité ou sa laideur, sans hésiter à revenir aux moyens habituels de la peinture et à l'exemple des maîtres anciens, caractérise aussi bien la *Nouvelle Objectivité* allemande (Beckmann, Dix, Grosz) ou le mouvement italien *Novecento* (Sironi) que les «classiques» ou les «réalistes» français (Derain, Gruber).

La froideur, l'ironie — voire l'académisme délibéré de leur peinture — souligne, pour la première fois dans l'art moderne, l'inquiétude d'une génération pour qui la Modernité commençait à signifier révélation de l'«*inquiétante étrangeté*» (De Chirico) du monde à lui-même.

Mario Sironi
Lac de montagne
1928
huile sur toile
60 × 71

André Derain
Nature morte aux oranges
1931
huile sur toile
89 × 117

Portrait de la journaliste Sylvia von Harden
1926

Otto Dix avait rencontré Sylvia von Harden, figure pittoresque du Berlin des années 20, au Café Romain, fréquenté par les artistes. Le choc visuel que son portrait provoque naît du contraste entre la mise en valeur « vériste » des aspects caricaturaux de son personnage de femme émancipée et la description lisse et détachée qui en est donnée. Par là, ce portrait d'une époque est aussi intemporel (y compris par la technique : glacis et support bois), aussi impassible que les portraits des maîtres allemands anciens (Lucas Cranach, Hans Baldung Grien) dont Dix se voulait l'héritier. ·

Bildnis der Journalistin Sylvia von Harden
Portrait de la journaliste Sylvia von Harden
1926
huile sur bois
121 × 89

DADA SURRÉALISME

1910-17 *Peintures métaphysiques* de Giorgio de Chirico.

1913-17 Marcel Duchamp réalise ses premiers *ready-mades*.

1916 Fondation du mouvement *Dada* à Zürich
par Hans Arp, Hugo Ball, Richard Huelsenbeck,
Marcel Janco, Tristan Tzara.

1917-22 Manifestations *Dada* à Berlin, Cologne, Hanovre,
New York, Paris.

1924 *Manifeste du Surréalisme* d'André Breton.
Premier numéro de *La Révolution Surréaliste*
(Aragon, Breton, Desnos, Eluard, Naville, Péret, etc.)

1925 Première exposition de peinture surréaliste à Paris
(Arp, De Chirico, Ernst, Klee, Man Ray, Masson,
Miro, Picasso, Pierre Roy).

1930 Premier numéro du *Surréalisme au service de
la Révolution*. Breton et ses amis s'inscrivent au
Parti Communiste Français (1927-1933)

1938 L'exposition internationale du surréalisme à Paris
associe 60 artistes de 40 pays différents.

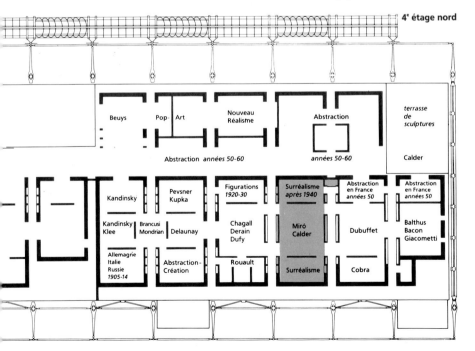

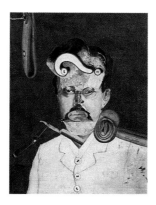

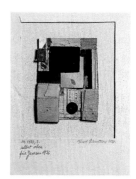

Préfiguré entre 1913 et 1915 par les
investigations iconoclastes de Duchamp,
Picabia et Man Ray à New York, mais né en
tant que tel à Zurich, en 1916, du dégoût
suscité par les flots d'horreur de la première
guerre mondiale, le mouvement *Dada* (d'un
mot trouvé au hasard dans le dictionnaire) est
d'abord une révolte d'intellectuels confrontés
à l'écroulement de la civilisation européenne.
Niant à la fois le bien-fondé des valeurs
communément admises (d'ailleurs démenties
par la guerre) et la validité d'activités
artistiques autonomes, Dada s'emploie
à dévoiler, par la provocation organisée
et la fabrication d'œuvres délibérément
dérisoires ou absurdes, leur inanité
complète et affirme la nécessité de lutter
pour une émancipation de l'individu à l'égard
de toutes les contraintes sociales.

Cette activité créatrice multiforme
amène Dada à réinventer pour « l'objet d'art »
un nouveau statut en le débarrassant de tout
caractère esthétique préétabli aussi bien
par *« la promotion d'objets manufacturés
à la dignité d'objets d'art »* (ready-mades
de Marcel Duchamp) que par la création
de formes dues au hasard, au jeu, à l'ironie,
à l'association spontanée d'idées (collages,
constructions, photomontages de Grosz,
Hausmann, Schwitters, etc.).

Kurt Schwitters
Merz 1926,2
collage sur carton
1926
12,5 × 9,5
avec carton 35 × 26

George Grosz
Remember uncle August, the unhappy inventor
Souviens-toi de l'oncle Auguste, le malheureux inventeur
1919
huile, crayon et collage sur toile
49 × 39

Man Ray
Cadeau
1921-63
fer à repasser et clous
original de 1963 d'après le modèle perdu
17,5 × 10 × 14 cm

42

C'est à Paris, entre 1920 et 1924, que Miró, par l'intermédiaire d'André Masson, son voisin d'atelier, découvre le surréalisme. Choisissant de *« dépasser la chose plastique »*, il élabore une *« peinture-poésie »* en puisant dans le répertoire imagé de ses rêves. Par leurs improvisations graphiques (lettres, chiffres, lignes errantes ou pointillées), comme par les rapprochements inattendus de signes élémentaires (petits personnages, animaux fantastiques, cieux étoilés) ses *« mi-hié- -roglyphes »* (comme les baptisa Raymond Queneau) rappellent l'inextricable mélange de bonheur et de tension propre aux œuvres des primitifs et des enfants.

Vers 1930, cherchant *« l'assassinat de la peinture »*, Miró multiplie les expérimentations techniques (peinture sur cuivre, sur papier de verre, sur masonite) et les constructions d'objets à l'aide de matériaux de rebut ; ensuite, de 1944 à 1959, il se consacre principalement à la céramique, à la sculpture, aux décors muraux.

Le retour à la peinture, que Miró effectue après 1960, sur des toiles de grandes dimensions où la couleur se fait tache, trace, empreinte démontre que Miró sera resté fidèle jusqu'au bout au programme qu'il s'était fixé : *« Atteindre le maximum d'intensité avec le minimum de moyens. »*

L'addition
1925
colle et huile sur toile encollée
195 × 129

La course de taureaux
1945
huile sur toile
114 × 144

De la nature et de la mécanique, laquelle a exercé
la plus forte influence sur vous ?
La Nature. Je me suis tourné vers la mécanique
pour lui emprunter quelques éléments fort simples,
tels que des leviers et des balances. La Nature, on la
regarde puis on essaie de rivaliser avec elle. (...)

Qu'est-ce qui fut à l'origine du mobile ?
Les mobiles prirent naissance lors d'une visite à
Mondrian. Je fus impressionné par différents
rectangles coloriés qu'il avait épinglés au mur. Peu
de temps après, j'inventais les mobiles. C'est alors
que Mondrian soutint que ses peintures bougeaient
plus vite que mes mobiles. (...)

Quelle différence d'intention existe entre vos
mobiles et vos stabiles ?
Eh bien, le mobile a un mouvement réel en lui
alors que le stabile, lui, rejoint l'idée de la peinture
d'autrefois à savoir le mouvement suggéré. Vous
devez faire le tour d'un stabile ou le traverser.
Le mobile danse devant vous. (...)

Que pensez-vous de vos mobiles à moteur ?
Ils sont très pénibles. Ce sont des cauchemars à
répétition. (...)

Extraits d'une interview
par Katharine Kuh
in The Artist's Voice
New York 1960

Requin et baleine
vers 1933
bois
98 × 102 × 16

Disque blanc, disque noir
1940-41
bois peint, disques de métal peint
et petit moteur
124 × 92 × 45

44

*« Surréalisme, n.m.
Automatisme psychique pur
par lequel on se propose
d'exprimer, soit verbalement,
soit par écrit, soit de toute autre
manière, le fonctionnement réel
de la pensée. Dictée de la pensée,
en l'absence de tout contrôle
exercé par la raison, en dehors
de toute préoccupation esthétique
ou morale. »*

André Breton
Manifeste du Surréalisme

René Magritte
Le modèle rouge
1935
huile sur toile collée sur carton
56 × 46

Transposée sur le plan plastique, cette descente aux sources de l'inspiration — c'est-à-dire au subconscient — trouve l'équivalent de l'automatisme littéraire dans des techniques susceptibles de jouer le rôle de *« provocateurs optiques »* (Max Ernst). Dessins automatiques, *collages* d'illustrations ou d'objets réunis à des fins purement émotives, *frottages* d'un crayon contre des surfaces rugueuses recouvertes d'un papier (Ernst), jets de sable sur toiles préencollées (Masson), font surgir des images aléatoires *« provoquant une intensification subite des facultés visionnaires »* (Max Ernst).

Parallèlement, la figuration traditionnelle, voire le « trompe-l'œil », utilisée notamment par Magritte, Dali, Delvaux, permet la fixation d'images hallucinatoires, qui constituent autant de *« calques du rêve »* (Dali). Enfin les objets trouvés, interprétés, assemblés, détournés, constituent pour les surréalistes (Bellmer, Brauner, Cornell, Ernst, Giacometti, Miró, etc.) l'ultime moyen d'émancipation hors de l'espace mental de l'image. Par là, ce n'est plus tellement à la littérature, à la peinture ou à la sculpture que le surréalisme ouvre de nouveaux continents, qu'à une action poétique située au-delà, conduisant à la *« libération totale de l'esprit et de tout ce qui lui ressemble »* (André Breton).

Joseph Cornell
Owl box
Hibou
1945-46
assemblage
63 × 36 × 16

Giorgio De Chirico
Portrait prémonitoire de Guillaume Apollinaire
1914
huile sur toile
81 × 65

Loplop présente une jeune fille
1930-66

La série *Loplop présente* apparaît dans l'œuvre de Max Ernst entre 1929 et 1934. Emblème de l'artiste, l'oiseau Loplop y exhibe des petits tableaux, des collages, des frottages ou des photomontages, souvent minutieusement encadrés, réalisant par là le dédoublement de l'œuvre et de l'artiste.

Œuvre dans l'œuvre donc, cette *« jeune fille »* ici *« présentée »* est un collage (sur panneau de bois récupéré des décors du film de Luis Buñuel *L'Age d'Or*) d'objets associés en fonction des « visions » provoquées par l'observation des reliefs de plâtre peint du panneau. Au départ (peut-être) allusion sarcastique aux objets sentimentaux conservés dans les médaillons, l'œuvre, dans sa première version (1930) ne comportait que le profil de jeune fille, la tresse de cheveux et quelques rubans. Viendront s'ajouter ensuite : le couvercle de la lessiveuse, le galet suspendu dans le filet, le petit masque en relief de plâtre (1936), enfin la grenouille de bronze (1966). *« Culture des effets d'un dépaysement systématique »* (Max Ernst), le collage en acquiert ici toute sa force : celle de l'irrationnel, c'est-à-dire du désir.

A l'intérieur de la vue
1929
huile sur toile
100 × 81

Loplop présente une jeune fille
1930-66
huile sur planche de bois et objets divers
194 × 89 × 10

46

(...)
— *Si Tanguy était une couleur?*
— *Ce serait un jaune très frais,*
    très éclatant me répond une voix.
(...)
— *Si c'était un complexe?*
— *Ce serait le complexe d'auto-accusation.*
(...)
— *Si c'était un bijou?*
— *Ce serait des pendants d'oreilles érotiques.*
(...)
— *Si c'était un élément?*
— *Ce serait l'air.*
(...)
— *Si c'était un coquillage comestible?*
— *Ce serait l'anatife.*
(...)
— *Si c'était une perversion?*
— *Ce serait le sadisme.*
(...)
— *Si c'était une heure du jour?*
— *Ce serait quatre ou cinq heures du matin.*
(...)
— *Si c'était un objet de toilette?*
— *Ce serait la brosse à cheveux.*
— *Si c'était un peuple primitif?*
— *Ce serait des Jivaros.*
(...)
— *Si c'était une maladie mentale?*
— *Ce serait la cyclothymie.*
(...)
— *Si c'était un supplice?*
— *Ce serait celui de la goutte d'eau.*
(...)
— *Si c'était une superstition?*
— *Ce serait du sel renversé.*
(...)

Benjamin Péret *Yves Tanguy*
ou *l'anatife torpille les Jivaros*
in Cahiers d'Art, Paris
1935
volume X n⁰ˢ 5-6

A quatre heures d'été, l'espoir
1929
huile sur toile
129 × 97

Révélé d'abord à travers les œuvres de Miró et de Picasso des années 1920-1930, le surréalisme trouve un nouvel écho aux Etats-Unis à partir de l'immigration, en 1940, de Breton, Ernst, Masson et Matta, qui familiarisent les jeunes artistes de New York avec les procédés de l'automatisme.

L'apparition de formes fluides, « bio-morphiques » (chez Gorky), quelquefois associées à des figures à résonances totémiques ou mythiques (Pollock), caractérise cette nouvelle école américaine qui va vite acquérir son autonomie par l'accent mis sur la recherche de techniques — telles le *dripping*[1] — où l'automatisme devient une « arme plastique » au service d'expressions gestuelles de plus en plus monumentales.

[1] Voir *Petit lexique de l'abstraction américaine* pages 54 et 55

Arshile Gorky
Landscape-Table
Table Paysage
1945
huile sur toile
92 × 121

André Masson
Les villageois
1927
huile et sable sur toile
81 × 65

FIGURATIONS ABSTRACTIONS 1935-65

1922 Premières aquarelles « tachistes » de Hans Hartung à Dresde.

1934 Première exposition Balthus à Paris.

1935 Rupture de Giacometti avec le surréalisme
et retour aux études d'après modèle.

1944-45 Expositions Dubuffet, Fautrier, Wols à Paris.

1946 Fondation à Paris du *Salon des Réalités nouvelles*
consacré à l'art abstrait.

1947 Premiers *drippings* (ou *drip-paintings*) de Jackson Pollock
aux Etats-Unis.

1948 Fondation de *Cobra* à Paris.

1958 Premiers *stripe-paintings* de Frank Stella aux Etats-Unis.

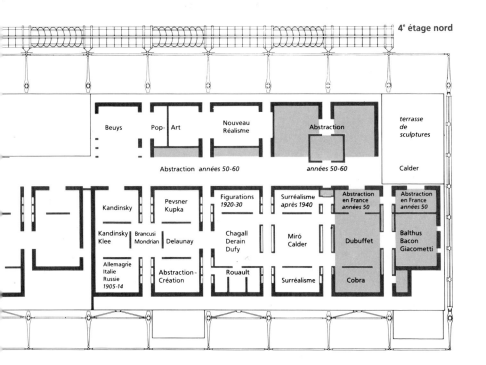

4ᵉ étage nord

Beuys | Pop- | Art | Nouveau Réalisme | Abstraction | terrasse de sculptures

Abstraction années 50-60 | années 50-60 | Calder

Kandinsky | Pevsner Kupka | Figurations 1920-30 | Surréalisme après 1940 | Abstraction en France années 50 | Abstraction en France années 50

Kandinsky Klee | Brancusi Mondrian | Delaunay | Chagall Derain Dufy | Miró Calder | Dubuffet | Balthus Bacon Giacometti

Allemagne Italie Russie 1905-14 | Abstraction-Création | Rouault | Surréalisme | Cobra

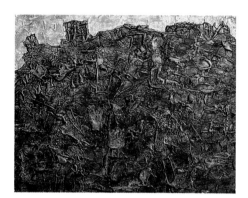

C'est en 1942 que Dubuffet décide de
rompre définitivement avec «l'Asphyxiante
Culture» pour s'inspirer de la fraîcheur
expressive dont font preuve les «hommes du
commun» dans les graffiti des rues ou leurs
bariolages spontanés. A l'aide de tracés
instinctifs, de triturations de matières, de
figurations élémentaires, Dubuffet s'attache
alors à retrouver la «spontanéité ancestrale de
la main humaine quand elle trace des signes».
Par ses portraits d'une grossièreté outrancière
(Dhôtel nuancé d'abricot 1947), par ses
paysages de sols ordinaires reconstitués
(Le voyageur sans boussole 1952) comme par
la fondation en 1948, de la Compagnie de l'Art
brut destinée à recueillir les œuvres des gens
prétendus fous ou simples d'esprit, Dubuffet
a poursuivi un même but : montrer que «l'art
il est toujours là où on ne l'attend pas».

Le voyageur sans boussole, 8 juillet 1952
1952
huile sur isorel
118 × 155

Dhôtel nuancé d'abricot
1947
huile sur toile
116 × 89

50

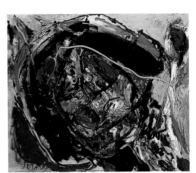

Fondé à Paris par le danois Asger Jorn,
le belge Christian Dotremont, les hollandais
Karel Appel, Constant et Corneille — et
baptisé par les initiales des villes d'origine
des fondateurs (COpenhague, BRuxelles,
Amsterdam) — Cobra entend retrouver à
travers la poésie, l'exemple des arts anciens ou
populaires nordiques mais surtout la peinture,
la voie d'un « art expérimental-simpliste »
fondé sur « l'intervention vivante du peintre,
la vie spontanée de la matière, la dialectique
de la vie intérieure et de la vie objective ».
    Associant librement signes abstraits
(entrelacs, éclaboussures, taches), animaux
monstrueux et personnages primitifs, celle-ci
aboutit à des formes délibérément « sauvages »
par l'utilisation de couleurs violemment
pressées, travaillées au couteau, accumulées
sur les supports les plus variés.
    Anti-esthétique et anti-rationaliste,
Cobra s'est voulu réhabilitation de la créativité
la plus spontanée par opposition à tous les
formalismes artistiques de l'époque.

Karel Appel
Vragende Kinderen
Enfants interrogeant
1948
reliefs de bois peints cloutés
sur panneau de bois peint à l'huile
85 × 56

Asger Jorn
Femme du 5 octobre
1958
huile sur toile
63 × 76

« *Toute la démarche des artistes modernes est dans cette volonté de saisir, de posséder quelque chose qui fuit constamment*», confiait Giacometti dans un entretien en 1962.

Mais ce «*quelque chose qui fuit*», cette réalité qui s'échappe, l'artiste moderne sait aussi qu'il ne peut la saisir qu'à travers la «*transcription des apparences*». Ainsi, tandis que Giacometti, pour exprimer la vie de ses figures, les concentre, après 1935, en des formes de plus en plus décharnées, de plus en plus denses aussi, et qui semblent, selon ses propres mots, «*creuser le vide*» autour d'elles, Balthus pétrifie les visions les plus familières en des scènes théâtrales aux protagonistes figés dans des poses empruntées.

« *C'est comme si la réalité était continuellement derrière des rideaux qu'on arrache*», disait également Giacometti, et voilà que ces rideaux dévoilent à leur tour des images qui se déchirent. Avec Bacon, ce sont des visages aux traits ravagés, des corps contorsionnés perdus dans des arènes indéfinies qui sont donnés à voir, «*comme si, dit d'eux Michel Leiris, la réalité de la vie ne pouvant être saisie que sous une forme criante, criante de vérité comme on dit, ce cri devait être, s'il n'est pas issu de la chose même, celui de l'artiste possédé par la rage de saisir*».

Francis Bacon
Portrait de Michel Leiris
1976
huile sur toile
34 × 29

Alberto Giacometti
Femme debout II
1959-60
bronze
275 × 55 × 33

« *Plus je regardais le modèle, plus l'écran entre sa réalité et moi s'épaississait (...). C'est-à-dire qu'en 1940, les têtes devenaient minuscules, qu'elles tendaient à leur disparition. Je ne distinguais plus que d'innombrables détails. Pour voir l'ensemble, il fallait faire reculer le modèle de plus en plus loin. Plus il s'éloignait plus la tête devenait petite, ce qui me terrorisait. Le danger de la disparition des choses...* »

Alberto Giacometti
extrait d'un entretien avec A Parinaud
in Arts
Paris juin 1962

« *... le tableau n'est pas contemplation même, mais son simulacre, et c'est pourquoi la vie figée à sa surface exerce une telle fascination ; le tableau n'a pas d'être en soi, mais grâce au non-être du simulacre, ce qu'il nous fait voir, c'est l'être où les choses ne peuvent plus mourir parce qu'elles ne vivent plus ; elles sont ; le tableau nous offre moins un objet de contemplation, qu'il ne nous met dans l'attente du spectacle que cependant nous voyons, mais qu'animent les démons intermédiaires entre l'artiste et le spectateur.* »

Pierre Klossowski
Du tableau vivant dans la peinture de Balthus
in Monde Nouveau, Paris
février-mars 1957
nos 108-109

Alberto Giacometti
Portrait d'Isaku Yanaïhara
1956
huile sur toile
81 × 65

Balthus
La chambre turque
1963-66
caséine et tempera sur toile
180 × 210

53

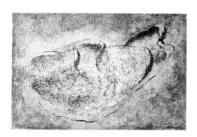

Tout en devenant le mode d'expression
dominant de l'art européen, l'Abstraction se
démultiplie entre 1935 et 1960 en courants
foisonnants et souvent concurrents. Ainsi,
à l'*abstraction géométrique* (Dewasne,
Herbin, Magnelli) — qui trouve bientôt de
nouvelles applications dans l'esthétique du
mouvement (Soto, Schöffer) ou les variations
optiques sur la surface (Vasarely, Agam) —
s'opposent aussi bien une abstraction
«poétique» de tradition française (Bazaine,
De Staël, Estève) qu'une *abstraction lyrique*
qui privilégie la tache (Bryen), le graphisme
(Hartung, Soulages) le signe (Michaux), voire
la dissociation convulsive de toutes les formes
(*art informel* de Wols).

Dans cette voie, c'est en associant à la
peinture tantôt les enduits de blanc d'Espagne
et de colle (Fautrier), tantôt les toiles de sac
usagées (Burri), tantôt le marbre pulvérisé
et le latex (Tapiès), ou même le goudron,
le sable, les débris organiques (Dubuffet),
que ces derniers se lancent dans l'exploration
patiente des «territoires de la matière».

Parallèlement à ces courants européens,
l'*Expressionnisme abstrait* américain s'oriente
vers la mise en valeur de l'acte créateur lui-
même *(action painting)* et la participation
du spectateur au pouvoir émotif de la couleur
(color-field painting) au moyen de
formes monumentales aboutissant parfois
à de véritables «environnements» picturaux.

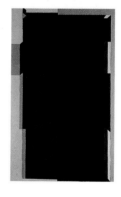

Nicolas de Staël
De la danse
1946
huile sur toile
195 × 114

Jean Fautrier
Femme douce
1946
enduit de blanc d'Espagne, de colle,
de poudres de couleur et d'huile sur toile
97 × 145

Victor Vasarely
Hô II
1948-52
huile sur toile
130 × 81

54

Action painting (ou «peinture gestuelle»).
Technique picturale gestuelle rapide par
laquelle l'artiste exprime directement sur la
toile ses impulsions profondes. Pratiqué
par Jackson Pollock, Willem de Kooning,
Mark Tobey, etc., cet «automatisme physique»,
qui supprime toute distinction entre dessin
et peinture aboutit à des formes ouvertes,
inséparables de l'espace qui les contient, où
l'acte créateur se reflète tel quel dans l'œuvre
achevée.

All over (littéralement: «sur toute la surface»).
Espace pictural «sans commencement ni fin»
créé par Jackson Pollock dans ses *drip-paintings*
par la suppression de tout foyer central ou point
culminant sur la toile. Le tableau devient ainsi
une surface homogène, aux limites arbitraires,
sur laquelle l'œil, débarrassé des distinctions
habituelles de la peinture (sujet, formes,
plans), est amené à circuler en tous sens.

Willem de Kooning
Woman
Femme
vers 1952
fusain et pastel sur deux feuilles assemblées
74 × 50

Barnett Newman
Shining forth (to George)
1961
huile sur toile
290 × 442

Color-field painting (ou «abstraction chromatique»). Peinture par «champs de couleurs» intenses construisant une image unique, indéfiniment extensible, dont la structure en verticales et horizontales est dérivée du support de la toile.
L'abstraction chromatique a ainsi donné naissance à de véritables «icônes abstraites», telles les rectangles flous de Mark Rothko, ou les surfaces rythmées par bandes verticales de Barnett Newman (*Shining forth* 1961), «symboles sensibles» de la confrontation de l'artiste avec l'espace tout entier.

Drip-painting ou Dripping (de l'anglais *to drip*: s'écouler). Egouttage direct de peinture sur la toile posée à même le sol à l'aide, notamment, de boîtes de couleurs fluides percées de trous. Les *drip-paintings*, expérimentés par Max Ernst en 1942, et systématisés par Jackson Pollock après 1947, aboutissent à la création d'espaces picturaux *all over*.

Hard edge (littéralement: «bords francs»). Mouvement d'abstraction géométrique né vers la fin des années 50 (avec Ellsworth Kelly, Kenneth Noland, etc.), où la mise en évidence du tableau comme plan coloré est obtenue à l'aide de zones de tons aux contours intenses nets. C'est la même volonté de réduire l'œuvre à ses composants essentiels qui anime le travail de Frank Stella. Ses peintures par bandes parallèles monochromes *(stripe-paintings)* puis — après 1960 — ses tableaux découpés à la forme de leurs motifs intérieurs *(shaped canvas)* ne visent à démontrer rien d'autre que leur existence. De ceux-ci, Stella a pu dire: *«Tout ce qui est à voir est ce que vous voyez.»*

Frank Stella
Parzeczew II
1971
acrylique sur toile, carton et feutre sur bois
270 × 261

Jackson Pollock
«Number 26 A», Black and White
1948
émail sur toile
205 × 122

NOUVEAU RÉALISME POP ART FLUXUS

1954 Rauschenberg réalise ses premiers « assemblages peints » *(combine-paintings)* à New York.

1956 Exposition *This is to-morrow* (« Voici demain ») à Londres sur la culture populaire urbaine contemporaine.

1958 Premiers *happenings* à New York.

1960 Fondation du groupe des *Nouveaux Réalistes* à Paris. (Arman, Villeglé, Klein, Raysse, Spoerri, Tinguely, César, etc.)

1962 Consécration du *Pop Art* aux Etats-Unis. Premiers concerts *Fluxus* en Europe.

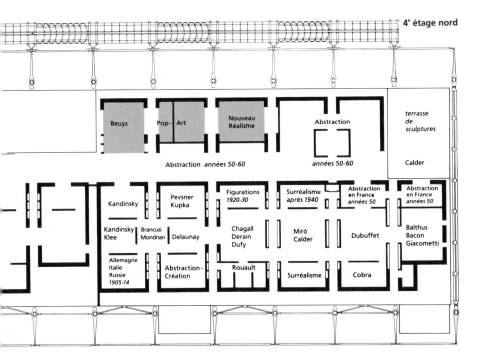

4e étage nord

Beuys | Pop-Art | Nouveau Réalisme | Abstraction | terrasse de sculptures

Abstraction *années 50-60* | *années 50-60* | Calder

Kandinsky | Pevsner Kupka | Figurations *1920-30* | Surréalisme *après 1940* | Abstraction en France *années 50* | Abstraction en France *années 50*

Kandinsky Klee | Brancusi Mondrian | Delaunay | Chagall Derain Dufy | Miró Calder | Dubuffet | Balthus Bacon Giacometti

Allemagne Italie Russie *1905-14* | Abstraction-Création | Rouault | Surréalisme | Cobra

En accordant une valeur artistique à l'appropriation par l'artiste d'objets usuels qui leur confère, par simple choix, une qualité esthétique, les *Nouveaux Réalistes* s'orientent (en réinterprétant à leur manière les *ready-mades* de Marcel Duchamp) vers une récupération généralisée de la réalité moderne.

Si, le plus souvent, cette redécouverte du folklore industriel et urbain prend la forme d'une activité sérielle où ces objets se retrouvent accumulés, brisés (Arman), empaquetés (Christo), compressés (César), ou fixés tels que le hasard les a accommodés (*objets piégés* de Spoerri, affiches lacérées de Hains et Villeglé), celle-ci s'exprime également par des valorisations poétiques du « merveilleux moderne » tels les assemblages d'objets de bazar réalisés par Niki de Saint-Phalle ou Martial Raysse.

Dans une acception plus générale, cette reconquête du monde se mue en une démarche globale où l'artiste s'approprie non seulement les objets mais aussi le mouvement, le bruit, l'énergie (machines de Tinguely), voire l'espace cosmique (« matérialisé » par les *monochromes* de Yves Klein) en devenant — à travers des mises en scène parfois spectaculaires — le médium d'un « art total » imprégnant l'Univers d'« *indéfinissable sensibilité picturale immatérielle* » (Yves Klein).

« Je pense que la peinture est invisible. Elle est absolument indéfinissable et invisible, elle est impalpable, elle est présente, c'est une présence n'est-ce pas, elle habite, elle habite un lieu, elle habite un endroit et pour moi pour l'instant ma peinture habite cette galerie, mais je voudrais qu'elle prenne des dimensions incommensurables presque, qu'elle se répande, qu'elle imprègne, n'est-ce pas, l'atmosphère, voire même, d'une ville, d'un pays, n'est-ce pas. (...) »

Yves Klein
interview à Europe I
à propos de l'exposition *Le Vide*
Paris 1958
cité dans le catalogue *Yves Klein*
Centre Georges Pompidou
Paris 1983

Arman
Home Sweet Home
1960
accumulation de masques à gaz
160 × 140 × 20

Yves Klein
Monochrome IKB 3
1960
huile sur toile fixée sur contreplaqué
199 × 153

58

« *Il n'y a pas de raison de ne pas considérer que le monde entier est une gigantesque peinture.* » Ce propos du peintre américain Rauschenberg illustre le comportement d'une génération artistique confrontée, aux Etats-Unis notamment, au déferlement visuel de la société de consommation dans la vie courante.

Le *Pop Art* (contraction de « *Popular Art* ») jette donc son dévolu sur la banalité quotidienne, soit pour en reproduire ou en réutiliser plastiquement les éléments les plus ordinaires (« assemblages peints » de Rauschenberg ou de Jim Dine, « environnements » de Kienholz ou de Segal, « sculptures-objets » d'Oldenburg), soit pour en monumentaliser les images fournies par la publicité (Rosenquist), les bandes dessinées (Lichtenstein) ou les journaux à grand tirage (Warhol).

En agissant ainsi « *dans la brèche qui sépare l'art de la vie* » (Rauschenberg), le Pop Art réintroduit dans la peinture une « objectivité de la vue » débarrassée de tout illusionnisme pictural : le regard ramené à l'objet re-produit, à l'image toute faite re-présentée dans la surface peinte, y surprend en même temps le constat distancié de la réalité et les potentialités expressives de sa représentation. Ni glorificateur ni contempteur de son époque, le Pop Art trouve par là, vis-à-vis d'elle, cette autre distance qu'offre l'objectivité de la vue : celle de l'humour. En ce sens, il est autant une morale qu'une esthétique.

Jasper Johns
Figure 5
1960
peinture à l'encaustique et papier journal sur toile
183 × 137

Andy Warhol
Electric Chair
Chaise électrique
1966
acrylique et laque appliquée en sérigraphie sur toile
137 × 185

59

Conçus comme une rencontre de toutes les formes d'expression artistique[1] et permettant de substituer l'action à l'œuvre, la participation du public à la contemplation passive et l'aléatoire au déterminé, les *happenings* (de l'anglais *to happen* : advenir, survenir) se développent après 1958 à New York à l'initiative d'Allan Kaprow, Jim Dine et Claes Oldenburg qui imaginent des jeux théâtraux — d'esprit néo-dada — à scénarios ouverts dans des « environnements » éphémères et modifiables associant objets, sons et réactions des spectateurs.

De 1962 à 1963 la diffusion du mouvement à l'Europe est assurée par George Maciunas, qui, pour expérimenter « *l'état de flux dans lequel tous les arts se fondent* », organise (avec, notamment : George Brecht, Robert Filliou, Wolf Vostell, Nam June Paik) des concerts Fluxus où la mise en valeur de gestes inattendus (appelés selon les cas *Compositions*, *Performances* ou *Events*) permet de montrer que l'art peut desserrer l'étau commercial et culturel, devenir accessible à chacun, se rapprocher du jeu ou de la magie, bref, rejoindre la vie.

Après 1964, les traces des activités de Fluxus (publications, correspondances, photos, films, etc.) ont été récupérées par le marché de l'art.

[1] Selon l'idée initiale du compositeur John Cage dès 1952.

« Il y a un état de la nature, une condition, que je veux par-dessus tout représenter, le grand royaume formel de la mollesse, que notre propre corps suggère. (...) Seuls des originaux en dur peuvent être sujets à amollissement. L'amollissement peut être considéré comme l'accomplissement d'un désir de paix (une voiture molle, un fusil mou), une grasse matinée sans fin, un plaisir, une impuissance dopée en cause à défendre, un travestissement, une désorganisation des barrières, une subversion, une anti-ambition, comme la projection d'un corps, celui de l'auteur, ou bien comme une volonté d'attirer l'attention sur le grand royaume négligé du non-rigide (et de l'aérien). Quoi qu'on lui demande, le mou est généreux. Le dernier acte dans l'amollissement de l'objet est comme un point de non-retour, un souffle de mort sur son fonctionnalisme et son classicisme. L'objet est ramené à la nature, laissé en tas(...). Son âme, pourrait-on dire, retourne au royaume de la géométrie en laissant comme une pile de linge non repassé. Christian Science. Amen. »

Claes Oldenburg
in catalogue *Object into monument*
Pasadena Art Museum
Californie 1972

Claes Oldenburg
Ghost drum set
Batterie fantôme
1972
dix pièces en toile peinte
bourrée de billes de polystyrène
80 × 183 × 183

Joseph Beuys

Infiltration homogène pour piano à queue
1966

1 *« Car l'élément le plus important pour celui qui regarde mes objets est ma thèse fondamentale : CHAQUE HOMME EST UN ARTISTE »*

Joseph Beuys

C'est au cours d'actions publiques où il s'efforce d'élargir l'art à une dimension anthropologique et collective[1] que Beuys, compagnon de route de Fluxus, puis lié au mouvement écologiste allemand, réalise ses propres œuvres.

En rapprochant substances issues de la nature (bois, graisse, miel, feutre) et instruments ou matériaux produits par la civilisation technicienne, Beuys entreprend de réconcilier les unités rompues par la société moderne (Matière-Esprit, Nature-Culture, Collectivité-Individu, Orient-Occident) et met en valeur le contenu émotionnel que leurs oppositions plastiques et idéologiques provoquent (mou-dur, flou-net, chaotique-ordonné).

Ici, un piano de concert, symbole de vie spirituelle, a été cousu par Beuys dans une « peau » de feutre, symbole organique d'isolement (donc de communication bloquée) mais aussi de préservation.

Le piano, condamné au silence, est paralysé, comme en danger (les croix rouges sur ses flancs) mais ses potentialités, protégées, restent intactes et son appel étouffé — le son *« filtre »* au travers du feutre, dit Beuys — est un signal d'alarme ; à sa tragédie répond, en écho, celle d'un monde en proie aux affres de la gestation d'un futur incertain.

Infiltration homogen für Konzertflügel
Infiltration homogène pour piano à queue
1966
piano à queue entièrement enveloppé de feutre
100 × 152 × 240

Les salles du 3e étage du Musée National d'Art Moderne sont réservées à l'exposition d'œuvres appartenant aux collections permanentes d'art contemporain.

Ces collections donnent lieu à des présentations renouvelées où les œuvres d'artistes reconnus cohabitent avec celles de la récente génération. C'est pourquoi, exceptés le *Jardin d'hiver* de Jean Dubuffet et le *Magasin* de Ben, les œuvres citées ou reproduites dans les pages suivantes peuvent ne pas être exposées dans les salles le jour de votre visite.

Le magasin de Ben
1958-73
éléments divers provenant
de son magasin à Nice
350 × 500 × 350

ART CONTEMPORAIN APRÈS 1965

1963   Le coréen Nam June Paik expose à Cologne
ses premiers téléviseurs à images « détournées ».

1963-1966   Premières expositions d'*Art minimal* à New York.

1967   Formation du premier foyer d'*Art conceptuel*
à New York (Robert Barry, Douglas Huebler, Joseph
Kosuth, Lawrence Weiner).
Premières expositions d'*Arte Povera* en Italie.
Premiers travaux en pleine nature (*Land Art*)
aux Etats-Unis.

1969   Confrontation internationale du *Process Art*,
du *Land Art*, de l'*Arte Povera* et de l'*Art conceptuel*
à l'exposition « Quand les attitudes deviennent
forme » à Berne.

1970   Première exposition *Supports/Surfaces* à Paris.

1980   Consécration officielle du « néo-expressionnisme »
allemand (Baselitz, Kiefer) à la Biennale de Venise.
Le critique Bonito-Oliva baptise « *Transavantgarde* »
le mouvement de renouveau figuratif en Italie.

3ᵉ étage sud

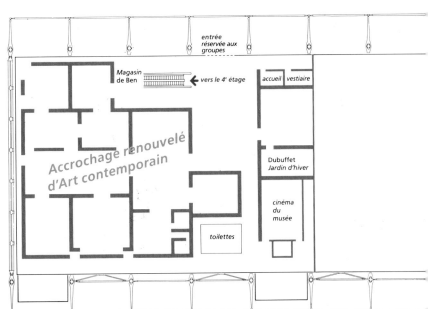

C'est à partir du refus de toute virtuosité artistique et de toute fonction représentative ou symbolique pour l'œuvre d'art que s'affirme, dans les années 60 aux Etats-Unis, sous l'influence des tendances d'abstraction *hard edge* et de recherches du peintre Frank Stella[1], un mouvement qui choisit de mettre en évidence les qualités essentielles de la peinture (bidimensionnalité, couleur) et de la sculpture (tridimensionnalité) en élaborant des *«objets spécifiques»* (Don Judd) aux formes radicalement simplifiées.

A partir de 1965, c'est donc dans la sculpture que l'*Art minimal* va s'accomplir en tant que tel en utilisant, pour conquérir l'espace réel, la combinaison sérielle d'éléments modulaires géométriques faits de bois, de métal ou de tubes lumineux, le plus souvent fabriqués industriellement. Avec eux, les formes deviennent des *«arrangements»* pour affirmer aussi bien la force de leur présence (boîtes alignées de Don Judd), ou l'occupation d'un lieu (assemblages à même le sol de Carl André, éclairages fluorescents de Dan Flavin) que la pure *«manifestation d'une idée»* (structures dérivées d'un carré projeté et multiplié dans l'espace de Sol Lewitt).

Considérées souvent comme anti-émotionnelles *(«Cool Art»)*, parce que dénuées de toute rhétorique, ces œuvres expriment pourtant par leurs surfaces lisses et leurs volumes nets, l'exigence rigoureuse d'un art qui a voulu tirer de lui-même toute sa justification.

[1] Voir *Petit lexique de l'abstraction américaine,* pages 54 et 55

Don Judd
Stack
Pile
1973
10 éléments en acier inoxydable et plexiglas laminé de 23,5 × 102,5 × 80 chacun avec un intervalle de 23 cm entre chaque élément

64

« Quand je fabrique les petits objets en carton je travaille comme un vrai peintre, avec des émotions, des envies. Il y a une sorte de hasard qui entre en jeu. Mais le temps de la photographie, lui, est un temps complètement dégagé de tout cela, un temps de mise à distance, plus intellectuel. Même si mes photographies ressemblent à des tableaux. La photo me permet, entre autres, de jouer vraiment avec le moyen photographique c'est-à-dire de rappeler un événement extrêmement éphémère. D'autre part, les objets ne sont pas montrés au public : en eux-mêmes ils ne sont rien. Vous les avez vus, ce sont des objets complètement minables ; mais il y a un temps — de quelques secondes — où la lumière et la théâtralisation de ces objets font qu'ils prennent une certaine allure. La photographie est la seule preuve de cet instant. (...) Mais ce qui m'intéresse plus encore dans la photographie c'est qu'elle permet de jouer sur deux codes : le haut qui est le code « tableau », peinture presque religieuse, impressionnante, avec de grands personnages souvent totémiques, et le bas qui serait un code « photo » qui dirait : ce ne sont pas des dieux mais des petits jouets, ce n'est pas de la peinture mais de la photo qui est un moyen bas. Mes photos sont en même temps purement des photographies parce qu'elles sont souvenirs d'un événement. En même temps, elles ne sont pas du tout des photographies puisqu'elles ne sont pas du tout naturalistes. »

Christian Boltanski
Le montreur d'ombres
extrait d'une interview
par Michel Nuridsany
in Art Press
Paris mars 1984 n° 79

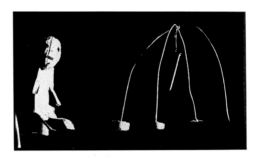

« Mais que penser de la prétention à l'authenticité d'un médium qui est incapable de distinguer la réalité de son reflet ? »[1].
Cette question accompagne, aujourd'hui, le renouveau de la photographie comme médium « pictural » car, en interrogeant les codes photographiques (objectivité, figuration, narration), ce sont ses propres questions que la peinture retrouve.

Quel code perspectif ? demande, par exemple, Jan Dibbets à travers ses photos de paysages inclinés de 6° à 72° dont le montage reconstruit comme la courbe ascendante d'une comète.

Constat de quoi ? questionne Jochen Gerz avec ses clichés énigmatiques que leurs légendes ne tentent pas d'expliquer.

Preuve de quoi ? insinue Jean Le Gac en choisissant d'illustrer son autobiographie divagante de photos anodines des lieux qu'il fréquente ou d'illustrations enfantines qu'il recopie.
C'est à cette théâtralisation qu'implique la saisie photographique que s'attachent, justement, Boyd Webb ou William Wegman ; mais que constate l'œil froid de l'appareil ? Des scènes aberrantes, des rapprochements invraisemblables d'objets sans lien logique.

Pas très loin, Gilbert and George se campent eux-mêmes dans leurs photomontages en petits bourgeois anglais bien-pensants. Mais que penser de leurs émotions mimées dans une raideur de vitrail d'église ? Ce ne sont que des *images d'images* où *chacun peut se reconnaître*, pour reprendre les mots de Christian Boltanski évoquant ses *compositions* où de petits bricolages enfantins semblent surgir par une *magie à la noix* de la nuit immatérielle du souvenir.

Christian Boltanski
Composition grotesque
1981
photographie en couleurs
109 × 193,5

1 Edmund Kuppel

En choisissant de s'interroger non plus sur les formes mais sur le contenu même de l'Art, c'est-à-dire sur sa fonction, l'Art dit *conceptuel* a rassemblé, depuis 1967, une grande diversité de recherches dans une problématique réflexive en rupture avec toutes les attitudes formalistes dominantes. C'est pourquoi, dans un premier temps, c'est le langage (sous forme de textes imprimés, photographiés ou peints) qui a naturellement constitué le médium privilégié pour analyser « l'idée d'art en tant qu'idée » (*« Art as idea as idea »*, écrit *Joseph Kosuth*)[1], ou pour « dématérialiser » l'œuvre[2].

Par la suite, dans le cours des années 70, de nouvelles démarches ont permis — en utilisant les moyens les plus artisanaux comme les plus « technologiques » — d'ouvrir plus amplement le champ d'investigation tant à la mise en question des règles du jeu visuel qu'à la critique de la prétendue neutralité économique, sociale ou politique de l'Art.

Ainsi, tandis que les « mots-images » de Marcel Broodthaers nous appellent à confronter nos propres représentations culturelles à la mise en abîme des significations, les *« bouillies d'images »* vidéo de Nam June Paik (réalisées par détournement de programmes télévisés), les photomontages inquiétants de Barbara Krüger ou les *« truismes »* froids de Jenny Holzer (défilant sur tableau d'affichage électronique) proposent à l'art un autre rôle dans un univers idéologique gouverné par les mass media : celui de brouiller les cartes.

Dans le même esprit, c'est à l'élargissement du regard du spectateur à la réalité qui l'entoure que les toiles uniformément rayées de Daniel Buren conduisent : à lui de saisir que cet *« outil visuel »* anonyme ne prend de sens qu'en révélant le lieu qu'il occupe (et qui cherche à se faire oublier), parce qu'il *« le critique, le met en valeur, le contredit, en un mot, le dialectise »* (Daniel Buren).

1 En confrontant par exemple des objets à leurs représentations photographiques et définitions du dictionnaire.

2 En lui substituant des propositions écrites allusives laissées à l'imagination du lecteur (Lawrence Weiner, Robert Barry, etc.).

Marcel Broodthaers
Le corbeau et le renard
1968
toile photographique et machine à écrire
115 × 82

Daniel Buren
Ornements d'un discours
1973-78
1 pièce de toile rayée rouge et blanc 90 × 141
+ 36 petits morceaux 10 × 17 maximum

l'Art comme force active

1 Selon l'expression utilisée par l'artiste italien Piero Manzoni.

2 D'où le terme de *Process Art* (ou *Anti-Form*) utilisé par les critiques américains.

3 Car *« le problème n'est pas de savoir quoi peindre mais comment peindre »*
Robert Ryman

Robert Ryman
Chapter
1981
huile sur toile de lin
et attaches métalliques
223,5 × 213,4

Mario Merz
Igloo di Giap
Igloo de Giap
1968
cage de fer, sacs de terre,
tubes de néon
120 × 200

Qu'est-ce que percevoir ? Tenter de répondre à cette question, pour l'artiste, c'est cesser de considérer l'œuvre comme un objet fini pour s'ouvrir à la dynamique de sa réalisation et de son site.

De cette manière, l'art devient *« force active »***1** expérimentale susceptible d'utiliser n'importe quel matériau (des plus rigides aux plus malléables) pour mettre en évidence dans l'œuvre achevée le processus créateur**2** et sa visualisation.

Ainsi, quand Richard Serra éclabousse un mur de plomb fondu et dresse de dangereux « châteaux de cartes » avec des plaques d'acier en équilibre précaire, ou quand Robert Ryman peint ses tableaux « blancs » en concentrant toute son attention sur l'étalement du pigment sur les supports les plus divers (papier, toile, métal, plexyglas) et sur leur fixation au mur**3**, c'est toute l'intensité de leur expérience sensorielle qu'ils invitent le spectateur à partager.

Au-delà, c'est l'homme profond *« réinséré dans l'énergie des choses »* (Luciano Fabro), et particulièrement celle des objets et matières les plus éloignés de tout code artistique (de la laine brute aux feuilles de salade, du café moulu aux animaux empaillés), que l'*Arte Povera* italien vise à retrouver par le dévoilement de leurs singularités cachées. Nouveau prédateur et nouveau nomade, l'artiste capte la vie enfouie dans la terre ou le végétal, la force secrète du champ magnétique terrestre et fait d'un « igloo » de sacs de terre son territoire.

En étendant son domaine aux villes, aux campagnes, aux déserts, le *Land Art* se donne, lui, la planète comme champ d'expériences. De ses installations méditatives de cailloux ou de branchages collectés durant ses marches en pleine nature, l'anglais Richard Long dit : *« Mon œuvre traite des pierres réelles, du temps réel, des actions réelles ».*

Conçus comme l'inventaire des «actions
fabricatrices» à partir des composants
traditionnels de la peinture (toiles, châssis,
pigments), l'activité du groupe *Supports /
Surfaces* en France (1970-1971) aura permis
d'attirer l'attention sur des travaux multiples
mais convergents dont le peintre Simon Hantaï
avait d'ailleurs été l'initiateur, dès 1960,
en faisant de ses peintures sur toiles pliées
ou froissées, puis déployées telles quelles,
de libres surfaces imprégnées de couleurs.

Avec Claude Viallat, dès 1966, c'est au
marquage répété d'empreintes de couleurs au
pochoir ou au pinceau sur toiles non tendues
(bâches, vieux tissus imprimés, etc.) qu'est
dévolue la fonction de rendre à la peinture sa
plénitude : celle de la matérialité de la couleur.
Pour Pierre Buraglio, au contraire, comme
pour François Rouan, il s'agira d'abord de
*«produire des surfaces où peindre devient
possible»* (Buraglio) ; mais si, pour le premier,
cela pourra s'obtenir en faisant surgir la
«picturalité» de matériaux de récupération
(papiers assemblés, verres teintés montés sur
d'anciens châssis de fenêtre), pour le second,
ce sera la base d'un patient travail de tressage[1]
où la peinture réinscrit sa profondeur par
entrecroisement de fragments de figures
et de motifs abstraits.

Travaux d'assemblages également que
ceux de Bernard Pagès, Patrick Saytour, Toni
Grand, mais dans les trois dimensions cette
fois. En jouant sur le dynamisme spécifique
des matériaux naturels, industriels ou de
bazar, ces *«jumelages antagonistes de
formes travaillant côte à côte»* (Pagès), ces
«accrochages inconfortables» (Saytour) ces
«interventions» et ces *«combinaisons»* (Toni
Grand), révèlent à la matière son *«opacité
naturelle»* comme aux formes leur *«instabilité
durable»* (Toni Grand).

[1] De 1966 à 1980, la toile est
d'abord teintée, découpée en
lanières, puis retressée. Depuis
1980, ce tressage est «figuré»
par des hachures au pinceau.

François Rouan
Volta faccia
Volte face
1984
encre et gouache sur papier
fixé sur soie collé sur carton
110 × 80

Claude Viallat
Fenêtre à Tahiti
(hommage à Matisse)
1976
acrylique et colorants mordants
sur store à franges
207 × 170

Toni Grand
*Bois flotté et stratifié,
polyester et graphite*
1978
2 éléments 21 × 328 × 22,5
et 17 × 330 × 23

68

1 Bernard Ceysson.

2 Catherine Francblin.

3 Maurice Besset.

Valerio Adami
Thorwaldsen
1980-81
acrylique sur toile
198 × 148

Georg Baselitz
Die Mädchen von Olmo
Les filles d'Olmo
1981
huile sur toile
250 × 249 cm

« Art de crise », dicté par une *« quête de l'Identité perdue »*[1] dans une *« société en mal de sens »*[2], le renouveau d'une peinture d'expression figurative a constitué au milieu des années 70 le recours d'une génération qui a cherché à retrouver aussi bien le chemin de l'affirmation d'une sensibilité personnelle que celui de la réconciliation avec tout l'héritage de l'histoire de l'art. Mais, là ou la *Figuration narrative* des années 60 (Adami, Arroyo, Monory, etc.) avait voulu dresser une icono-graphie critique de la vie contemporaine dans une intention d'objectivité à la fois ironique et décorative au moyen d'un style détaché inspiré du photo-journalisme, c'est, inversement, à un télescopage brutal de réminiscences culturelles « hautes » ou « basses » utilisant, selon les cas, symboles personnels (Cucchi, Schnabel), signes primordiaux (Penck), mythes historiques (Kiefer), citations picturales (Garouste) ou langage de bandes dessinées (Blais, Combas, Di Rosa) — qu'ont fait appel les différents mouvements de figuration dite « néo-expressionniste » en Europe et aux Etats-Unis.

Pourtant — et paradoxalement — cette renaissance des images tout autant sacralisées que délibérément violentées, glorifiées que salies par l'agression des coups de pinceaux, vidées de leurs significations d'origine (y compris par le renversement physique du tableau comme chez l'allemand Baselitz) ou capturées par fragments pour être adoptées avec passion et désinvolture *« comme un comportement vestimentaire »*[3], résonne, en même temps, comme une anxieuse célébration.

Comme si, raturé, trituré, délavé, vidé, le tableau ne recueillait plus que les débris d'un naufrage lointain, que le témoignage d'une disparition fondamentale, d'une nostalgie à jamais insatisfaite.

Ou que, ramené à jouer le cri dans les ruines ou le rire dans les ténèbres, la peinture se soit offerte une ultime ruse : celle d'une dernière « fête des masques » comme prélude à une autre résurrection : la sienne, peut-être.

Le jardin d'hiver
1968-70

69

C'est la restitution du monde conçu comme *« un univers continu et indifférencié »* (incluant donc à la fois réalités physiques et représentations mentales) qu'entreprend, dans le cycle de l'*Hourloupe* (1962-1973) Jean Dubuffet au moyen d'un système graphique d'unités cellulaires abstraites, sommairement coloriées, finissant par former un puzzle grouillant aux limites arbitraires.

Cette *« écriture méandreuse, ininterrompue et résolument uniforme »*[1], propre à *« liquéfier les catégories »*, Dubuffet va d'abord l'appliquer à couvrir des surfaces de plus en plus étendues (1963-1965), puis à construire des *« simulacres »* contorsionnés d'objets quotidiens (1964-1970), enfin à bâtir, de 1969 à 1973, des projets de paysages et d'édifices atteignant, après réalisation en résine epoxy, la dimension monumentale. Appartenant à cette dernière série, le *Jardin d'hiver*, *« dérive mentale dotée d'un corps physique »*, perturbant nos habituelles notions de matière, de distance et de perspective, *« introduit un doute sur la vraie matérialité du monde auquel nous avons journellement affaire »*[2]. Il suggère ainsi la *« possibilité qui demeure offerte de rechiffrer le monde et fonder la pensée sur des "logos" tout autres »*[3].

[1] *« Houle qui roule entourloupe égale hourloupe »* cité par Max Loreau *Jean Dubuffet* Paris 1971.

[2] Jean Dubuffet discours à New York 1972.

[3] Jean Dubuffet lettre à Arnold Glimcher 1969.

Jean Dubuffet
Le jardin d'hiver
1968-70
époxy peint au polyuréthane
480 × 960 × 550

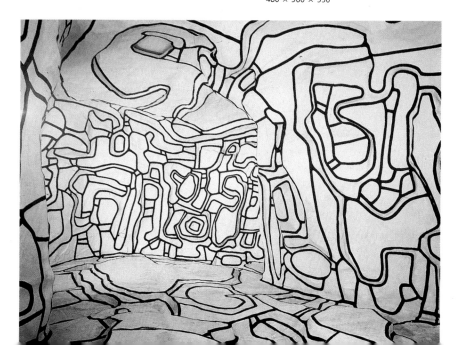

70

les collections permanentes du Musée national d'art moderne
sont installées au 4ᵉ et au 3ᵉ étage du Centre.
Elles présentent l'évolution de l'art moderne de 1905
à nos jours selon un parcours chronologique d'ensemble.
Des animations régulières y sont organisées (voir plus loin).
Heures d'ouverture : du lundi au vendredi 12 h-22 h
fermé le mardi
samedi et dimanche 10 h-22 h

la salle
d'expositions temporaires
4ᵉ étage

est consacrée principalement aux collections d'œuvres sur papier (dessins, collages, aquarelles, gravures, photographies, livres illustrés) présentées en alternance.

le cinéma du Musée
3ᵉ étage

montre régulièrement des films documentaires sur l'art moderne et des films d'artistes appartenant au Musée.

l'atelier du sculpteur
Brancusi

est installé devant le Centre Georges Pompidou sur la piazza.
Il est disposé tel qu'il était autrefois (à Paris, impasse Ronsin)
selon les vœux mêmes de l'artiste qui l'a légué
ainsi au Musée.
*Renseignements sur les heures de visite : **42 77 12 33** poste **4727***

les expositions temporaires du Musée
se répartissent entre les différents niveaux du Centre Georges Pompidou :

au 5ᵉ étage

de nombreuses expositions de la Grande Galerie sont consacrées dans l'année aux principaux artistes et mouvements artistiques du XXᵉ siècle. Pluridisciplinaires, elles peuvent être, dans ce cas, préparées en commun avec les autres départements du Centre Georges Pompidou.

au rez-de-chaussée
les Galeries
Contemporaines

présentent en priorité des artistes français ou étrangers en activité et visent à faire connaître la diversité de la production artistique d'aujourd'hui.

dans le Forum,

le Musée expose (en alternance avec les autres départements du Centre) des œuvres monumentales d'artistes d'aujourd'hui.

Constantin Brancusi
Vue d'atelier
vers 1935

quelques services offerts par le Musée **71**

la cellule
animation-pédagogie
propose

des visites animations régulières destinées soit aux
visiteurs individuels (sur simple présentation du ticket
d'entrée au Musée) soit aux groupes (inscrits préalablement)
dans les collections permanentes
ou les expositions temporaires.
Renseignements **42 77 12 33** poste **4625** ou **4673** de 10 h à 13 h
des cycles d'initiation à l'art moderne couvrant l'ensemble
des grands mouvements artistiques du XXᵉ siècle.
des stages de formation aux enseignants.
Renseignements **42 77 12 33**, poste **4625**
des conférences, débats, entretiens qui permettent aux
public de rencontrer artistes, critiques d'art, écrivains
sur des thèmes d'actualité liés aux arts plastiques.
Renseignements **42 77 12 33**, poste **4668**

les services
de la documentation
du Musée

installés au 2ᵉ étage du Centre (côté administration
du Musée) ont pour mission de réunir les documents
relatifs aux arts plastiques du XXᵉ siècle. Leur fonds
comprend notamment 30 000 livres (dont 50 % sont
en accès public), 60 000 catalogues, 3 000 titres
de périodiques, 75 000 diapositives (en consultation sur
place), 20 000 dossiers d'artistes et des documents
d'archives.
Ouvert aux étudiants et aux chercheurs
(sauf mardi) de 14 h à 18 h
du lundi au vendredi
Renseignements sur les conditions de consultation
42 77 12 33 poste **4672**

le Musée édite

les Cahiers du Musée national d'art moderne
(trimestriels) : études consacrées aux collections du
Musée, dossiers liés aux expositions, essais
universitaires, etc.
des catalogues raisonnés des fonds du Musée par
artiste ou par thème (un catalogue général du Musée
est en préparation) ;
des petits journaux des collections permanentes ;
des fiches pédagogiques à consulter sur place dans
les salles du Musée ;
des catalogues, livres, petits journaux, affiches, carnets
de diapositives, vidéo-cassettes liés aux expositions
temporaires.
Tous ces ouvrages sont en vente à la librairie du Musée
(4ᵉ étage) et à la librairie du Centre (rez-de-chaussée).
Renseignements **42 77 12 33** poste **4833** ou **4941**

achevé d'imprimer en Italie
en mars 1986
photocomposition   l'Union Linotypiste
photogravure   Scala

conception graphique   Christophe Ibach

dépôt légal   3ᵉ trimestre 1986
n° d'éditeur   503